J'apprends
la cuisine
en 500 trucs

Collection VIE PRATIQUE

Coco Jobard

J'apprends la cuisine en 500 trucs

Sous la direction de l'équipe de la Centrale d'achats Maxi-Livres
Direction : Alexandre Falco
Responsable des publications : Françoise Orlando-Trouvé
Responsable de la collection : Stéphanie Bogdanowicz
Fabrication : Guillaume Bogdanowicz

Découvrez nos offres et nos magasins sur le site :
www.maxi-livres.com

Garantie de l'éditeur
Malgré tout le soin apporté à sa réalisation, cet ouvrage peut
comporter des erreurs ou des omissions.
Nous remercions le lecteur de bien vouloir nous faire part
de toute remarque à ce sujet.

© 2002, Éditions Josette Lyon, Paris.
© 2004, Maxi-Livres pour la présente édition.

SOMMAIRE

AVANT-PROPOS

Faut-il cuire le riz dans l'eau chaude ou dans l'eau froide ? Éplucher les pommes de terre avant ou après cuisson ? Comment savoir si un rôti est cuit à l'intérieur ?

Toutes ces notions élémentaires semblent aller de soi pour les auteurs de livres de cuisine. Ils connaissent si bien l'art culinaire qu'ils imaginent mal les perplexités des néophytes. Or, mon travail de chroniqueuse de cuisine comme mon expérience de restauratrice m'ont appris à comprendre celles-ci. En effet, beaucoup de gens, tant parmi mes lectrices que dans mon entourage, me questionnent à longueur de journée sur des points qui, à moi, me semblent évidents. Il ne se passe pas de jour sans que des amis me téléphonent en catastrophe pour me demander : « Comment faire attendre mon soufflé ? » ou « Comment rattraper ma crème ? », au point qu'ils m'ont surnommée madame SOS cuisine…

Mon courrier est riche aussi d'interrogations du même type. Ayant donc constaté que les mêmes questions revenaient souvent, j'ai eu l'idée de les rassembler dans ce livre avec leurs réponses. Elles ont dépanné les uns, pourquoi ne dépanneraient-elles pas les autres ?

Mais mon ambition dépasse ce premier but. Si je souhaite vous initier à la technique culinaire, vous donner les trucs, les tours de main qui vous permettront de réussir vos plats, je voudrais aussi vous faire partager mon goût et mon amour de la cuisine.

La cuisine, c'est le charme, la séduction, l'amour des autres et un vrai sens de la fête. Pour cela, il n'est pas nécessaire de se lancer dans des menus compliqués. Avant tout, la cuisine se doit d'être d'une grande simplicité ; des asperges cuites à point, un rôti tendre et moelleux accompagné de son jus de cuisson et de légumes de saison, une tarte aux fruits ne peuvent que faire le régal et la joie de tout le monde.

AU DÉPART,
TROIS PRINCIPES

La cuisine commence au marché : achetez des produits de saison et de qualité, ne les conservez pas trop longtemps.

Aidez-vous de bons ustensiles et de couteaux qui coupent bien.

Habituez-vous à goûter les plats en fin de cuisson car les temps indiqués ne peuvent être qu'approximatifs, et varient en fonction des matériels de cuisson et du produit lui-même.

1

Les notions élémentaires

Quels sont les ustensiles de base nécessaires à la préparation en cuisine ?

- Très important, des couteaux qui coupent bien : un petit couteau d'office, un couteau éplucheur (économe), un grand couteau, un petit couteau muni de fines dents (pour les tomates), un grand couteau-scie pour couper le pain.
- Une planche à découper munie d'une gorge (pour récupérer le jus d'un rôti).
- Une petite planche pour découper les oignons, les échalotes, les fines herbes.
- Une autre petite planche pour l'ail, ou mieux, un presse-ail.
- Deux cuillères en bois, une louche, une écumoire, une passoire à pied, un fouet à main, une râpe multi-usage à facettes à différentes tailles de trous, une spatule ajourée à manche coudé (pour retourner facilement les aliments mis à cuire à la poêle, dans une sauteuse ou une cocotte).
- Une essoreuse à salade.
- Trois jattes de tailles différentes.
- Un tamis.
- Un moulin à légumes (pour la purée, les soupes).

Pour la pâtisserie
- Un rouleau à pâtisserie.
- Une grille à pâtisserie.
- Des moules à cake, à manqué, à tarte (un ou deux), à charlotte, à soufflé.
- Des petits ramequins en porcelaine à feu, en verre ou en terre.
- Un pinceau plat, un verre mesureur et une balance,
- Une paire de ciseaux, une spatule en caoutchouc souple.
- Un robot mixeur

- Du papier aluminium, du papier absorbant, du film alimentaire étirable et transparent.
- Plusieurs boîtes de rangement en plastique ou en verre de différentes dimensions.

> **Bon à savoir : gardez tous les emballages en verre avec couvercle (conserves, confitures, pots de crème, de sauces...). Ils vous serviront à conserver divers aliments, épices (écrivez leur nom sur de jolies étiquettes).**

2 **Quels sont les ustensiles de base nécessaires pour la cuisson ?**

- Une cocotte en fonte.
- Une sauteuse.
- Deux poêles (une petite, une grande), une poêle à revêtement antiadhésif.
- Une série de cinq casseroles de tailles différentes avec couvercle : choisissez-les à fond épais, en acier inoxydable, si possible avec un triple fond (une plaque de cuivre entre deux plaques d'acier).
- Deux plats à gratin de tailles différentes, en porcelaine, ou verre à feu ou en terre.
- Une bassine à friture et son panier.
- Un couscoussier (pour la cuisson à la vapeur).
- Une plaque à rôtir ou à griller.
- Un diffuseur de chaleur.
- Un autocuiseur.
- Un fait-tout.

Qu'est-ce qu'un fait-tout ? À quoi sert-il ?

- C'est une grosse marmite plus ou moins haute, munie de deux anses et d'un couvercle. Il sert à tout faire, comme son nom l'indique, mais il est surtout destiné aux cuissons qui nécessitent beaucoup d'eau : pâtes, grande quantité de légumes, pot-au-feu, poule au pot...
- Un autocuiseur de taille moyenne peut très bien le remplacer.

 Qu'est-ce qu'un diable ? À quoi sert-il ?

- C'est un ustensile de cuisson en terre constitué de deux coques s'emboîtant l'une dans l'autre.
- Il se glisse dans un four ou dans les cendres chaudes d'un feu de bois. On peut y cuire, sans jamais y mettre de l'eau, des légumes entiers non épluchés et crus : pommes de terre, betteraves rouges, oignons, gousses d'ail, marrons. On doit toujours le retourner à mi-cuisson.
- Avant chaque utilisation, faites-le tremper entièrement dans de l'eau froide pendant 5 min. Il ne se lave pas avec du détergent car la terre est poreuse.
- Pour savoir si les légumes sont cuits, piquez-les avec la pointe d'un couteau qui doit les transpercer sans rencontrer de résistance.

 Qu'est-ce qu'un tamis ? À quoi sert-il ?

- C'est un ustensile constitué d'un grillage fin en Nylon, en tissu ou en métal.
- Il sert à tamiser la farine, le sucre glace, une sauce ou un jus pour les rendre plus fins, éliminer les grumeaux.

6 **Qu'est-ce qu'une sauteuse ? À quoi sert-elle ?**

- C'est une casserole qui a la forme d'une poêle mais dont les bords sont deux fois plus hauts.
- Elle sert à faire revenir facilement, grâce à son large fond, les viandes coupées en morceaux, les poissons, les légumes. Ses bords hauts permettent de bien remuer les aliments et de les cuire, selon les recettes, dans une petite quantité de liquide.

7 **Que faire si le feu prend dans la poêle ?**

- Éteignez le feu sous la poêle, les flammes s'éteindront d'elles-mêmes car les graisses finiront de brûler. Couvrez la poêle avec un couvercle, si nécessaire. Surtout, ne jetez pas d'eau si vous avez à proximité une friteuse électrique en marche ou toute autre installation électrique.

8 **Comment faire attendre le repas quand les invités sont en retard ?**

- Plutôt que de laisser brûler ou attacher les plats, éteignez les feux de la cuisinière, arrêtez le four, couvrez toutes les casseroles. Si vous n'avez pas assez de couvercles, couvrez-les avec du papier aluminium, en pinçant bien les bords pour éviter toute déperdition de chaleur.
- Réchauffez seulement les plats au moment de servir, à feu moyen.

9 **Comment mesurer sans peser ?**

Voici les principales équivalences :
10 g de sel = 2 c. à café rases
15 g de sucre en poudre = 1 c. à soupe rase
10 g de farine = 1 c. à soupe rase
25 g de farine = environ 1 c. à soupe bombée
2 cl de liquide = 1 c. à soupe
20 g de riz cru = 1 c. à soupe rase
15 cl = 1 verre à moutarde classique

10 **Comment calculer les mesures en décilitres (dl dans les recettes) ou en centilitres (cl) ?**

1/4 l = 2,5 dl ou 25 cl
1/2 l = 5 dl ou 50 cl
3/4 l = 7,5 dl ou 75 cl

11 **Pourquoi faut-il allumer (préchauffer) le four électrique ou à gaz avant d'enfourner le plat à cuire ?**

- Pour qu'il ait atteint le degré de chaleur nécessaire et ainsi respecter le temps de cuisson de la recette, surtout en pâtisserie où le départ de cuisson est important : four doux, four chaud, four très chaud.

12 **Comment connaître la température du four ?**

Selon la marque de la cuisinière, les gradations du thermostat sont soit de 1 à 8, soit de 1 à 10 :
- four doux : thermostat de 1 à 2, température entre 110° et 140° ;

- four moyen : thermostat de 3 à 5, température entre 140° et 200° ;
- four chaud : thermostat de 6° à 7°, température entre 200° et 240° ;
- four très chaud ou brûlant : thermostat maximum, soit 8° ou 10°, température entre 240° et 300°.

 Qu'est-ce qu'un bain-marie ?

- Un procédé de cuisson qui permet de faire fondre des aliments (chocolat, beurre...), de cuire ou de tenir au chaud des préparations qui ne doivent pas bouillir.
- Le principe consiste à déposer un récipient plus petit contenant l'aliment dans un plus grand, le plus grand contenant de l'eau maintenue à une température inférieure à l'ébullition. Le bain-marie peut être constitué de deux casseroles (de taille différente), d'un moule (crème caramel, œuf cocotte), posé soit dans un plat à gratin soit dans la lèchefrite.
- Pour amener une bonne cuisson au bain-marie, l'eau ne doit jamais bouillir. Il faut donc remettre de temps en temps de l'eau froide pour faire baisser la température de l'eau du bain-marie si elle bout.

 Qu'est-ce qu'une lèchefrite ?

- La plaque creuse du four de la cuisinière. En général, la lèchefrite fait partie des ustensiles du four lors de l'achat.

Que signifie « réserver » ?

- Mettre de côté une préparation ou une sauce pour les utiliser plus tard. Par exemple, réserver une viande ou un poisson au chaud afin de pouvoir préparer la sauce qui les accompagne. Gardez l'aliment soit entre deux assiettes creuses, à l'entrée du four s'il est allumé, soit recouvert de papier aluminium.

 Que signifie « blanchir » ?

- Plonger des aliments crus dans une grande quantité d'eau bouillante, salée ou non, pendant quelques minutes, puis les égoutter dans une passoire avant de les cuire. Le but de l'opération : faciliter leur cuisson ultérieure et les attendrir.
Exceptionnellement, certains aliments sont blanchis pour d'autres motifs : les lardons ou les viandes demi-sel, pour enlever l'excès de sel ; les abats, préalablement dégorgés, pour que leur chaire délicate ne durcisse pas. Ces aliments doivent tous être plongés dans l'eau froide puis amenés sur feu moyen à ébullition.

 Que signifie « dégorger » ?

- Faire tremper quelques heures dans de l'eau fraîche, en la renouvelant deux ou trois fois, par exemple des abats (ris de veau, cervelle), pour les débarrasser de leurs impuretés et des caillots de sang.
- Il faut également faire dégorger, en les saupoudrant de sel, les aubergines et les concombres pour enlever leur eau de végétation et les rendre plus digestes. Il suffit ensuite de les mettre dans une passoire et d'enlever le sel en les passant sous le robinet d'eau froide, puis de les sécher soigneusement avant de les préparer.

Comment « faire fondre du beurre » ?

– Cette opération, souvent indiquée dans les recettes, doit toujours se faire à feu très doux, quelle que soit la recette, car le beurre brûle très rapidement, se décompose et devient toxique (température critique : 120°).
– Mettez le beurre dans l'ustensile (poêle, casserole, cocotte…), et laissez-le fondre jusqu'à ce qu'il se liquéfie, tout en donnant un mouvement de va-et-vient à l'ustensile pour que le beurre se répartisse uniformément au fond. Le beurre mis à fondre ne doit en aucun cas commencer à mousser.

 Pourquoi faut-il toujours remuer les préparations, les sauces, avec une cuillère en bois ?

– Pour éviter de rayer le fond des ustensiles. Autre raison : la cuillère en bois a un manche très long ; si vous utilisez une cuillère en métal, son manche s'échauffera très rapidement et, comme il est court, vous risquez de vous brûler les doigts.

 Comment empêcher les casseroles dans lesquelles on cuit des légumes de noircir ?

– Pressez le jus d'1 citron dans l'eau de cuisson. Si vous utilisez un cuit-tout vapeur, coupez 1 citron en rondelles dans l'eau du récipient inférieur. Si malgré cela les casseroles noircissent, faites bouillir de l'eau contenant 1 citron coupé en quatre pour les nettoyer.

21 Comment nettoyer les casseroles qui ont attaché ?

- Versez dedans un verre d'eau de Javel, faites bouillir pendant quelques minutes. Laissez refroidir avant de nettoyer à fond.

22 À quoi voit-on que l'eau bout ?

- Au fait qu'elle forme de grosses bulles en surface.

23 À quoi voit-on que l'eau frémit ?

- Au fait qu'elle plisse en surface, stade qui précède juste l'ébullition. C'est la bonne température de l'eau pour faire pocher des œufs ou des poissons.

2
La cuisson
à la vapeur

Quel genre de casserole utiliser pour la cuisson à la vapeur ?

- Il faut deux ustensiles de cuisine pour obtenir la vapeur : un inférieur où l'on verse l'eau, et un supérieur percé de trous ou muni d'une grille ; ou encore, des paniers, mais tous munis d'un couvercle à leur taille.
- Vous pouvez utiliser le panier rigide d'une Cocotte-Minute, un couscoussier, des paniers chinois superposables ou mieux, un ustensile spécial appelé cuit-tout vapeur.

 Comment procéder pour la cuisson vapeur ?

- Versez dans la casserole inférieure la moitié de son volume d'eau ou de bouillon aromatisé. L'eau va s'évaporer en bouillant, il est donc nécessaire d'en ajouter en cours de cuisson, surtout si celle-ci dépasse 20 min. La cuisson à la vapeur proprement dite commence seulement quand l'eau bout et dégage de la vapeur.
- Dès ébullition, baissez le feu sous la casserole car un simple frémissement suffit pour dégager la vapeur nécessaire ; l'eau réduira moins vite.
- Comptez un minimum d'1,5 l d'eau pour 20 min de cuisson.

 Faut-il saler l'eau de cuisson ?

- C'est inutile car le sel reste dans l'eau et ne se transmet pas à la vapeur.
- Salez légèrement seulement les aliments mis à cuire ; mais la vapeur enlevant en partie le sel, chacun devra ensuite resaler à sa convenance.

Quel est le temps de cuisson des légumes à la vapeur ?

– Il varie en fonction de la grosseur et de la taille des légumes une fois découpés, de leur morcelage en bâtonnets ou en bouquets et aussi de la saison. Les légumes d'hiver cuisent moins vite que les tendres légumes du printemps.

Voici quelques exemples de temps de cuisson – vérifiez bien que le temps indiqué correspond à votre goût et établissez votre propre tableau. Les temps indiqués sont comptés à partir de l'ébullition de l'eau contenue dans la partie inférieure :
- carottes en *bâtonnets* : 10 à 12 min ;
  entières : 20 à 25 min
- céleri-branche en bâtonnets : 15 à 18 min
- céleri-rave en quartiers : 12 à 15 min
- chou-fleur en bouquets : 15 à 20 min
- brocolis en bouquets : 10 à 15 min
- asperges entières : 20 à 25 min
- concombres en bâtonnets : 8 à 10 min
- courgettes en bâtonnets ou rondelles : 10 à 12 min
- haricots verts : 10 à 15 min
- endives entières : 25 à 35 min ; en feuilles : 8 à 10 min
- épinards : 12 à 15 min
- soja en pousses : 5 à 6 min

 Comment vérifier la cuisson des légumes ?

– Enlevez rapidement le couvercle car la vapeur d'eau s'est déposée en gouttelettes sur l'envers ; vous éviterez ainsi que l'eau de condensation tombe sur le sol.
– Piquez dans la partie la plus épaisse du légume la pointe d'un couteau : le légume est cuit si la pointe ne rencontre aucune résistance.

29 Faut-il écailler les poissons ?

- Non, mieux vaut l'éviter pour qu'ils gardent toute leur fermeté. Lorsque vous écaillez un poisson, vous meurtrissez sa chair délicate, et celle-ci devient plus molle.

30 Comment cuire les poissons ?

- Installez-les directement sur un lit de branches de fenouil, d'aneth, d'estragon, de laurier ou de persil, ou sur un lit d'algues (demandez-les à votre poissonnier), dans la casserole du haut au fond perforé.
- Salez et poivrez légèrement le poisson, ou son ventre s'il s'agit d'un poisson entier.

31 Quel est le temps de cuisson des poissons ?

Il varie en fonction de la taille et non du poids, et selon que le poisson est en filets, entier ou en tronçons :
- pour des *filets* de poisson (environ 150 g) comme ceux de merlan, de dorade… : environ 5 min ;
- pour les poissons *entiers* ou *découpés en gros tronçons* : entre 20 et 30 min.

32 Comment savoir si le poisson est cuit ?

- Soulevez le couvercle en prenant garde aux goutte-lettes d'eau sur l'envers. Piquez dans la partie la plus épaisse du poisson la pointe d'un couteau : si elle s'enfonce et rencontre une légère résistance au niveau de l'arête d'un poisson entier, il est cuit. Si elle s'enfonce sans résistance, il est sans doute trop cuit.

33 **Comment cuire les viandes, les volailles** ?

Les viandes, les volailles cuites à la vapeur sont tendres, souples mais elles ne seront pas dorées. Pour les faire dorer, il faut procéder en deux temps.
– Précuisez à la vapeur la pièce de viande choisie, puis sortez-la de l'ustensile et enduisez-la au pinceau d'huile sur toutes ses faces. Vous pouvez alors la faire dorer au gril du four chaud, ou la faire revenir dans une cocotte ou à la poêle s'il s'agit d'une petite pièce (côte-lette, par exemple).
N'oubliez pas d'évaluer la quantité d'eau nécessaire à la cuisson plus ou moins longue des grosses pièces de viande : par exemple, pour un gigot de 2 kg, comptez 3 l d'eau car la cuisson dépasse 20 min.

34 **Quel est le temps de cuisson des viandes et des volailles** ?

LE BŒUF
tranche de filet de 200 g :
– servie bleue et chaude à cœur : 5 min ;
– saignante : 8 min ;
– à point : 10 min.
1 rôti de bœuf : le temps de cuisson ne dépend pas de son poids mais de son épaisseur. Par exemple, pour un rôti de 8 à 9 cm de diamètre :
– servi bleu et chaud à cœur : 10 min ;
– saignant : 15 min ;
– à point : 20 min.

L'AGNEAU
1 gigot de 2,5 kg :
– servi rosé : 45 min ;
– à point : 55 min.

LE PORC
1 côtelette de 180 g : 12 min.
1 rôti choisi dans l'échine, de 800 g : 55 min.

LE VEAU
1 rôti dans l'épaule d'1 kg : 50 min.

LA DINDE
1 rôti de 800 g : 25 min.

LE POULET
1,5 kg : 55 min.

LA PINTADE
1,2 kg : 40 min.

LA POULE
2 kg : 1 h 30.

LE CANARD
1,7 kg : 45 min.

35 Quelles sont les autres utilisations de la vapeur ?

- Pour peler rapidement, en 2 min, tomates, pêches.
- Pour réchauffer, sans qu'ils se dessèchent, tous les restes : pâtes, riz, viandes en sauce ou poisson.
S'il s'agit de préparations en sauce, mettez-les dans un petit plat et couvrez-les d'une feuille d'aluminium pour que l'eau de condensation retenue sur l'envers du couvercle ne retombe pas dans la sauce.
- Pour cuire des papillotes.

36 Comment cuire les papillotes ?

- Dans un four très chaud, préchauffé pendant environ 20 min, thermostat maximum.
- À la vapeur, sur le compartiment perforé de la double casserole.
- Sur la grille chaude d'un barbecue.

37 Comment préparer une papillote ?

Les papillotes peuvent être préparées à l'avance, le matin pour le soir, la veille pour le lendemain. Gardez-les au frais dans le réfrigérateur. Sortez-les 1 h avant de les cuire pour qu'elles reprennent la température ambiante.
- Posez les aliments choisis au milieu d'un grand rectangle de papier aluminium d'environ 40 cm.
- Soulevez puis repliez le papier en deux au-dessus des aliments. Pincez ensemble les deux bords puis refermez-les sur environ 1/2 cm, comme pour un ourlet, de façon à fermer hermétiquement la papillote. Pour cuire parfaitement, il ne faut pas laisser d'air s'en échapper. La papillote gonfle à la cuisson et se sert sitôt cuite.

38 Quels aliments choisir pour garnir une papillote ?

- Une papillote peut contenir un plat complet, un poisson ou une viande entourés de plusieurs petits légumes crus ou précuits, découpés en bâtonnets pour qu'ils cuisent rapidement.
Si vous n'êtes pas au régime, ajoutez 1 c. à soupe de crème fraîche et 2 ou 3 noisettes de beurre pour enrober les aliments : ils seront plus moelleux ; parsemez

chaque papillote d'1 c. à café de fines herbes hachées finement, elles dégageront un merveilleux parfum.

Vous pouvez cuire ainsi :
– un filet de poisson (dorade, limande, saumon, cabillaud, julienne...) entouré de haricots verts précuits ; de feuilles d'épinards crues ; de dés de tomates, sans peau, sans graines, crus ; de bâtonnets de concombres, courgettes ou céleri, carottes, tous précuits ; ou de poireau précuit découpé en fines rondelles. Le temps de cuisson est d'environ 6 à 8 min à four très chaud (préchauffez le four, thermostat maximum) ;
– un poisson entier farci de bouquet d'estragon, ou d'aneth, entouré de rondelles de citron, d'ail, d'oignon ou d'échalotes entières non épluchées, et coupées en deux si elles sont grosses.
Le temps de cuisson est de 20 à 30 min maximum suivant sa grosseur ;
– une escalope de veau, de poulet ou de dinde préalablement passée au beurre des deux côtés dans une poêle pour lui donner une croûte dorée avant de l'enfermer dans la papillote ;
– entourez la viande de légumes précuits découpés en bâtonnets ou de bouquets de choux-fleurs, de brocolis précuits, de champignons crus coupés en lamelles.
Le temps de cuisson est de 6 à 10 min suivant la grosseur de la tranche.

3
Le bon usage
du four à
micro-ondes

Comment fonctionne un four à micro-ondes ?

- Très différemment d'un four classique où la source de chaleur émise chauffe le plat, les parois du four et les aliments mis à cuire. Dans un four à micro-ondes, seuls les aliments, constitués en grande partie d'eau, chauffent ; l'ustensile de cuisson, les parois du four restent froids ou à peine tièdes, ils ne sont pas concernés car ils ne contiennent pas d'eau.
- Les aliments sont composés de molécules d'eau et de divers autres éléments ; chaque millimètre carré de viande, de poisson, de légumes, de fruits renferme des millions de molécules d'eau ; dans le four, exposées aux émissions de micro-ondes, ces molécules vont s'agiter à très grande vitesse (2 milliards 450 millions de fois par seconde) puis se réchauffer par frottement entre elles, agissant dans la masse même de l'aliment puis par conduction vers l'extérieur.
- Pour réussir votre cuisine, adoptez de nouveaux réflexes et de nouvelles habitudes, afin de vous familiariser avec ce mode de cuisson : ainsi, apprenez à compter en secondes, en minutes, car le temps nécessaire pour réchauffer, décongeler, cuire ou précuire un plat est extrêmement court ; utilisez des ustensiles de cuisson spéciaux qui se laissent traverser par les micro-ondes : seules les matières dites « transparentes » aux ondes peuvent être employées.

40 Quels sont les ustensiles « transparents » aux ondes ?

- Les matériaux transparents par excellence sont les verres à feu, vitrifiés, et la vitrocéramique.
- Les nouveaux plats spécifiquement adaptés offrent une pénétration maximale aux micro-ondes. Ils per-

mettent de passer sans dommage du congélateur au four à micro-ondes et au lave-vaisselle. Ils sont fabriqués en polycarbonate (matériau transparent, incassable, indéformable) ou en gemstone (matériau très léger et très résistant composé d'argile, de fibre de verre, de polyester).

- Sont également utilisables la terre cuite vernissée à l'intérieur, la porcelaine, la faïence, à condition qu'elles ne soient pas décorées d'éléments métalliques (filets, motifs argentés ou dorures). Avant de les utiliser, prenez la précaution de vérifier leur plus ou moins grande « transparence » aux ondes (voir ci-dessous le « Bon à savoir »).

- Les matières plastiques rigides ou semi-rigides, les récipients à base de papier s'emploient uniquement pour réchauffer un plat ou pour une cuisson très courte.

> **Bon à savoir : pour vérifier la « transparence » aux ondes, mettez l'ustensile vide dans le four et placez un verre rempli d'eau froide à côté. Allumez l'appareil à la puissance maximale pendant 1 min. Si après cette minute, le récipient est resté froid, vous pouvez l'utiliser ; s'il est devenu chaud, ne vous en servez pas : absorbant, il ne permettrait pas, ou mal, la cuisson des aliments.**

 Quels sont les ustensiles qui ne permettent pas aux ondes de passer ?

- Tous les récipients métalliques, tels les barquettes en aluminium des surgelés, les moules métalliques, les

cocottes en fonte ou émaillées, les casseroles, les ustensiles (plat, assiette, tasse, bol) agrémentés de décor métallique ou cerclés de métal.
- N'utilisez jamais de papier aluminium pour couvrir les plats, remplacez-le par du papier sulfurisé ou du film étirable transparent.
- Les métaux sont des matériaux réfléchissants, ils ne laissent pas passer les ondes, ils les arrêtent et les renvoient vers les parois de l'appareil, qu'ils risquent donc d'endommager.

 Comment se servir d'un four à micro-ondes pour décongeler ?

- Transvasez toujours les aliments congelés en barquettes aluminium dans des récipients « transparents » aux ondes.
- Utilisez exclusivement les programmes de décongélation (excepté pour les plats cuisinés où le programme cuisson est en général directement utilisé). Les programmes de décongélation envoient les ondes par séquences (un temps d'émission, un temps d'arrêt) permettant ainsi aux aliments de décongeler de façon uniforme, surtout pour les grosses pièces (poulet entier, rôti…).
- N'oubliez pas que les temps de décongélation varient en fonction du poids des aliments : 500 g de fraises décongèlent en 8 min, 250 g en 4 min.
- Laissez toujours reposer les aliments décongelés 5 à 10 min avant de les cuire. Toutefois, n'attendez pas des heures pour cuire un aliment qui vient d'être décongelé.
- Posez le pain, les croissants, les brioches sur une serviette en papier ou du papier absorbant qui absorbera l'humidité.

Quels sont les temps de décongélation des aliments ?

LES POISSONS
En tranches ou en filets de 100 g : 3 min.
Séparez les filets les uns des autres à mi-décongélation ; poisson entier, par exemple truite de 250 g : 4 min, en la retournant à mi-décongélation.

LES VIANDES
Le bœuf :
1 rôti d'1 kg : 25 min en le retournant à mi-décongélation
2 steaks hachés de 100 g chacun : 5 min

Le veau, le porc :
1 rôti d'1 kg : 30 min
2 côtelettes de 250 g chacune : 10 min

L'agneau :
1 gigot de 2 kg : 40 min

Les volailles :
1 poulet entier d'1 kg : 20 min
2 cuisses de poulet : 8 min

N'oubliez pas d'utiliser uniquement les programmes de décongélation et de laisser reposer les aliments au minimum 10 min avant de les cuire.

LES FRUITS, sur le programme décongélation
500 g de fraises : 8 min
250 g de framboises : 4 min
500 g de groseilles : 4 min
500 g de myrtilles : 8 min

LES LÉGUMES

Placez-les directement dans un plat « transparent » aux ondes, ils décongèlent et cuisent en même temps. Utilisez le programme de cuisson. Couvrez le plat. Si vous le recouvrez d'un film étirable transparent, pratiquez un trou au centre afin de laisser la vapeur s'échapper.

450 g de carottes, de chou-fleur, d'épinards : 10 min
haricots verts : 12 min
petits pois : 8 min

Remuez toujours les aliments à mi-décongélation-cuisson afin que la chaleur soit bien répartie tout autour.

LES PLATS CUISINÉS CONGELÉS OU SURGELÉS

N'oubliez pas de transvaser ceux qui sont dans des barquettes en aluminium dans un plat « transparent » aux ondes.

Pour un plat cuisiné de 500 g : 12 min sur le programme cuisson.

Agitez toujours les aliments en cours de cuisson.

44 Comment se servir du four à micro-ondes pour réchauffer ?

- Pour bien réchauffer, remuez toujours les aliments deux ou trois fois, couvrez le plat, soit avec les couvercles adaptés aux ustensiles, soit avec un film étirable transparent, percé d'un trou au milieu.

Un aliment réchauffé (par exemple un reste de la veille, pâtes ou riz, un plat cuisiné, un bol de lait ou de chocolat, un biberon, un petit pot pour bébé) n'attache pas et surtout ne se dessèche pas ; il garde toutes ses propriétés, sa couleur, son goût, son aspect, comme s'il venait d'être cuit.

Vous pouvez préparer un plat cuisiné la veille et le réchauffer en quelques minutes le lendemain.

Quel temps faut-il compter pour réchauffer des préparations aux micro-ondes ?

- Un reste de riz, de pâtes, de purée, pour deux portions : 2 à 3 min, sur le programme cuisson. Remuez les aliments au moins deux fois pendant leur courte cuisson.
- Un bol de café, de chocolat, un biberon, un petit pot pour bébé (sans son couvercle métallique) : 1 min à 1 min 30 sur le programme cuisson.
- Un plat cuisiné pour 2 personnes : 4 à 5 min en le remuant deux ou trois fois.

 Comment cuire dans un four à micro-ondes ?

- Achetez uniquement des produits de première fraîcheur car les micro-ondes sont sans pitié, ils développent aussi bien les bonnes que les mauvaises saveurs.
- Ne faites pas cuire de trop grandes quantités à la fois, choisissez plutôt d'opérer en plusieurs fois : les micro-ondes ne pénètrent pas au-delà de 2 cm d'épaisseur, la cuisson se faisant ensuite par conduction. Moins les aliments seront volumineux, mieux ils cuiront, plus leur cuisson sera rapide (par exemple, légumes en fins bâtonnets ou en rondelles, viandes en lamelles ou en petits morceaux…).
- Placez les aliments les plus épais vers l'extérieur de l'ustensile, les plus minces au centre.
- Si votre four ne dispose pas d'une plaque tournante, il est indispensable de retourner l'ustensile de cuisson pour éviter que les préparations ne se dessèchent d'un côté et soient trop cuites de l'autre. En le retournant, remuez les préparations pour qu'elles cuisent de façon uniforme.

- Utilisez peu de sel, d'épices, de matière grasse, de liquide (eau, lait, vin, bouillon…). Les micro-ondes amplifient la saveur des aliments, assaisonnez donc très peu, vous pourrez facilement resaler en fin de cuisson.
- Les aliments cuisant sans se dessécher, inutile de les mettre au four avec des matières grasses (beurre, huile…) ou avec trop de liquide, qui n'auraient pas le temps de réduire, les temps de cuisson étant très courts.
- Piquez certains aliments qui ont une peau pour éviter qu'ils n'éclatent à la cuisson – les pommes de terre, les tomates, le boudin, les andouillettes…
- Sachez toutefois que certains aliments cuisent mal aux micro-ondes, tels les œufs dans leur coquille (elle éclaterait), en raison des temps très courts. Le fromage devient rapidement caoutchouteux. Les viandes ne dorent pas comme dans un four traditionnel ; faites-les dorer en utilisant un plat brunisseur, ou faites-le au préalable dans une poêle, une cocotte ou sur le gril du four, puis poursuivez leur cuisson au micro-ondes.
- Les aliments ne peuvent pas gratiner dans un four à micro-ondes mais vous pouvez cuire le plat aux micro-ondes puis le faire gratiner au gril d'un four traditionnel.

 47 **Qu'est-ce qu'un plat brunisseur ?
Comment s'en servir ?**

- C'est un plat en vitrocéramique avec une semelle spéciale chargée en ferrite qui accumule la chaleur à la manière d'un gril. Toutefois il ne la garde pas longtemps, et il faut dorer ou griller les aliments immédiatement après l'avoir chauffé.
- Faites-le chauffer à vide dans le four pendant 6 à 8 min. Sortez-le du four, ajoutez un mélange de beurre et d'huile (1 c. à soupe d'huile, 10 g de beurre pour quatre portions), déposez les aliments en appuyant dessus avec une cuillère en bois pour les faire adhérer au

fond et ainsi mieux dorer. Une fois dorés, retournez les aliments, faites-les dorer de l'autre côté. S'ils n'ont pas pris suffisamment de couleur, remettez le plat brunisseur à vide, laissez-le chauffer quelques minutes, sortez-le du four, recommencez l'opération.

 Quel est le temps de cuisson des aliments dans un four à micro-ondes ?

LES COQUILLAGES ET CRUSTACÉS nécessitent un temps de cuisson très court en raison de leur petite taille :
200 g de crevettes : 2 min 30
8 coquilles Saint-Jacques : 3 min
1 livre de moules = 4 min

LES VIANDES

Le bœuf :
- 4 steaks hachés, après les avoir fait dorer au plat brunisseur, 1 min sur un côté puis 1 min 30 de l'autre ;
- 1 rôti d'1 kg, 10 à 12 min.

Le veau :
1 rôti d'1 kg : 25 min après l'avoir doré.

Le porc :
1 rôti d'1 kg : 25 min.

L'agneau :
1 épaule désossée d'1 kg : 10 min.

LES LÉGUMES
Ils seront meilleurs si vous les faites cuire avec 1 noix de beurre et 2 c. à soupe d'eau. N'oubliez pas de piquer les légumes dans leur peau. N'en faites pas cuire plus d'1 livre à la fois, détaillez-les en rondelles ou en fins bâtonnets.

<u>Pour 500 g de légumes finement découpés</u>
- les carottes : 8 min ;
- les champignons : 7 min ;
- le chou-fleur : 10 min ;
- les épinards : 6 min ;
- les poireaux : 10 min ;
- les pommes de terre sautées : 10 min après les avoir fait dorer dans le plat brunisseur.

LES VOLAILLES

Vous gagnerez davantage de temps en les découpant en morceaux :
- 2 cuisses de poulet : 8 min ;
- 2 ailes : 10 min ;
- 1 lapin d'1,5 kg, découpé en morceaux : 12 min.

LES POISSONS

Vous pouvez les faire cuire dans un plat ou en papillote (remplacez le papier aluminium par du papier sulfurisé). Ne faites cuire que des poissons très frais. Leur temps de cuisson varie selon leur taille, leur épaisseur et leur poids :
- 2 truites de 200 g chacune : 4 min ;
- 2 petites soles : 2 min de chaque côté ;
- 2 filets de merlan de 100 g chacun : 1 min d'un côté, 45 s de l'autre ;
- 2 tranches de saumon de 150 g chacune : 2 min d'un côté, 1 min de l'autre.

> **Bon à savoir : Les temps indiqués ne peuvent être qu'approximatifs car tous les micro-ondes ne sont pas conçus de la même façon, mais rappelez-vous qu'il vaut toujours mieux programmer moins que plus.**

4
La crèmerie

49 **Combien de temps après la ponte peut-on manger un œuf à la coque ?**

- 8 à 10 jours au maximum. Achetez pour cela des œufs portant la mention « extra-frais ». Un œuf est extra-frais de 1 à 10 jours, encore frais de 10 à 20 jours, beaucoup moins au-delà.

50 **Comment cuire un œuf à la coque sans montre ni sablier ?**

- Plongez l'œuf dans une casserole remplie d'eau froide. Quand l'eau bout, arrêtez le feu puis retirez l'œuf avec une grosse cuillère : il sera cuit à point, c'est-à-dire le blanc et le jaune juste pris.

51 **Quel est le temps de cuisson d'un œuf à la coque ?**

- 3 min dans l'eau bouillante.
- Pour plusieurs œufs à la fois, retirez la casserole du feu quand l'eau bout, ajoutez les œufs un par un, délicatement, avec une grosse cuillère, puis remettez la casserole sur le feu. Comptez les 3 min de cuisson à partir de ce moment-là.

52 **Comment cuire les œufs qui sortent du réfrigérateur sans qu'ils éclatent ?**

- Commencez leur cuisson à l'eau froide salée.

53 Comment cuire un œuf fêlé sans qu'il se vide pendant la cuisson ?

- Frottez la coquille avec 1 tranche de citron à l'endroit fendu, en débordant un peu autour de la fissure.

54 Quel est le temps de cuisson d'un œuf mollet ?

Plongé dans l'eau bouillante : 6 min
Plongé dans l'eau froide : 3 min à partir du début de l'ébullition

55 Comment conserver les œufs ?

- Posez-les délicatement, un par un, dans les alvéoles du réfrigérateur réservées à cet usage, la pointe en bas. S'il n'y a pas de fermeture à cet emplacement, mieux vaut les conserver dans leur boîte la pointe en bas. La coquille de l'œuf est poreuse, elle absorberait, à l'air libre, toutes les odeurs des aliments entreposés dans le réfrigérateur.

> **Bon à savoir : Gardez quelques œufs dans un placard pour les utiliser pour des œufs coque ou une mayonnaise ; ils seront à la bonne température.**

56 Que faire quand on a oublié la date à laquelle on a mis des œufs dans le réfrigérateur ?

- Testez leur fraîcheur en les cassant un par un dans une soucoupe ou une tasse :

- si le jaune est bombé, bien centré au milieu du blanc, l'œuf est extra-frais ;
- si le jaune s'écarte du centre, l'œuf a environ 1 semaine ;
- si le jaune et le blanc ont tendance à s'étaler, il a 2 à 3 semaines.

Pour tester la fraîcheur d'un œuf, sentez-le avant de l'utiliser : pourri, il sent franchement mauvais ; regardez aussi l'aspect de la coquille : extra-frais, il a une coquille rugueuse ; plus elle est lisse, plus l'œuf est vieux.

57 Comment expliquer que des œufs durs ne sentent pas toujours très bon, même si l'on a utilisé des œufs bien frais ?

- Par un excès de cuisson. Ne prolongez pas la cuisson plus de 12 min au-delà de l'ébullition. Passé ce délai, un phénomène chimique s'opère dans le jaune, qui noircit, et le blanc devient caoutchouteux. Mais il n'y a aucun danger à le consommer.

58 Comment écaler facilement un œuf dur ?

- Ne l'écalez pas immédiatement après cuisson mais plongez-le dans de l'eau froide quelques minutes pour le rafraîchir. Si vous êtes pressé(e), brisez la coquille en roulant l'œuf dur sur l'évier ou une planche. Plongez-le ensuite quelques secondes dans l'eau froide.

59 Combien de temps peut-on garder un œuf dur au réfrigérateur ?

- Non écalé, un œuf dur se conserve 4 jours ; écalé, 2 jours.

60 **Comment reconnaître un œuf cru d'un œuf cuit dur ?**

- Faites rouler l'œuf sur la table : s'il s'immobilise presque tout de suite, il est cru ; s'il roule facilement, il est cuit.

61 **Combien d'œufs faut-il compter par personne pour une omelette ?**

pour 1 personne : 2 à 3 œufs
pour 2 personnes : 5 œufs
pour 3 à 4 personnes : 7 œufs
pour 4 à 5 personnes : 9 œufs

62 **Quelle quantité d'œufs peut-on battre à la fois pour faire une bonne omelette ?**

- Ne battez pas plus de 6 à 7 œufs à la fois : une omelette trop grande ne pourra pas être saisie et cuira difficilement.
Si vous êtes nombreux, préparez plusieurs omelettes.

63 **À quel moment faut-il battre les œufs pour faire une omelette ?**

- Au dernier moment, lorsque vous faites fondre la matière grasse dans la poêle ; les œufs fraîchement battus n'ont pas le temps de brunir.
- Cassez les œufs dans une jatte et battez-les à la fourchette, juste pour briser les jaunes et les mélanger aux blancs de façon homogène. Si vous les battez trop longtemps, ils se liquéfient, l'omelette ne gonflera pas et sera plus lourde.

64 Comment obtenir une omelette légère et mousseuse ?

- Battez séparément les blancs et les jaunes dans deux jattes différentes. Les blancs doivent être battus plus longuement que les jaunes, jusqu'à ce qu'ils moussent. Ajoutez les blancs battus aux jaunes et mélangez-les quelques secondes à la fourchette. Salez et poivrez au dernier moment pour ne pas durcir l'omelette.

65 Comment faire pour qu'une omelette ne soit pas brûlée dessous et liquide sur le dessus ?

- Faites chauffer le beurre et l'huile dans la poêle à feu vif, versez les œufs légèrement battus, puis tenez d'une main la queue de la poêle et de l'autre, remuez avec une spatule les œufs qui commencent toujours à se coaguler vers les bords de la poêle ; ramenez les œufs vers le centre, agitez la queue de la poêle pour éviter qu'ils attachent au fond. Continuez sans vous arrêter de ramener les œufs vers le centre jusqu'à obtention d'une omelette baveuse, à point ou bien cuite, selon votre goût.

66 Comment réussir des œufs au plat sans que le jaune soit froid ?

- Cuisez-les au four dans des petits plats à œufs individuels ou dans un plat à gratin si vous êtes nombreux : four chaud, préchauffé thermostat 7 ou 8.
Faites fondre d'abord la moitié du beurre (15 g pour 2 œufs) dans le plat, à feu doux, jusqu'à ce qu'il mousse. Cassez les œufs sur une assiette, versez-les dans le plat. Salez le blanc mais pas le jaune pour ne pas le marquer de petits points blancs. Ajoutez le reste

du beurre et mettez à cuire au four environ 6 min. Le blanc sera juste pris, le jaune mollet et brillant, recouvert d'un léger voile transparent.
- Si vous n'avez pas le temps de les cuire au four, faites fondre le beurre à feu doux dans un plat à œufs individuel ou une poêle, cassez-les sur une assiette, faites-les glisser dans le plat, salez le blanc et, toujours à feu doux, arrosez sans arrêt pendant leur cuisson avec le beurre chaud.

> **Bon à savoir : Pour réussir des œufs au plat, il est important que la dimension de l'ustensile soit proportionnelle au nombre d'œufs à cuire – on évite ainsi que les œufs s'étalent trop ou soient au contraire trop tassés. Saupoudrez l'ustensile de sel fin avant d'y faire fondre le beurre, les œufs n'attacheront pas.**

 Comment préparer des œufs cocotte ?

- Dans des petits ramequins individuels en pyrex ou en porcelaine. Badigeonnez chaque ramequin avec un pinceau trempé dans un peu de beurre fondu (ou du bout des doigts avec du beurre mou). Mettez au fond 1 pincée de sel fin, un peu de poivre, et cassez l'œuf dedans. Rangez tous les ramequins dans la lèchefrite du four ou dans un grand plat à gratin. Versez de l'eau chaude dans le plat jusqu'aux 2/3 des ramequins. Mettez-les à cuire dans le four chaud, thermostat 6-7.

68 Quel est le temps de cuisson des œufs cocotte ?

- 8 min dans un four préchauffé pendant 15 min, thermostat 6-7 ; le jaune et le blanc seront bien crémeux.

69 Comment pocher un œuf ?

- Versez de l'eau chaude dans une sauteuse aux 2/3 de sa hauteur, ajoutez 1 c. à soupe de vinaigre blanc par litre d'eau (pas de vinaigre rouge, le blanc de l'œuf deviendrait rose). Cassez l'œuf dans une tasse ou sur une soucoupe. Amenez l'eau à légère ébullition, sa surface doit juste frémir. Faites glisser l'œuf à l'endroit où l'eau commence à bouillir. Ne laissez surtout pas l'eau bouillir, cela briserait l'œuf. Avec une spatule, ramenez le blanc sur le jaune. Sortez délicatement l'œuf avec une écumoire.

70 Quel est le temps de cuisson des œufs pochés ?

- Dans de l'eau frémissante : 4 min ; le blanc entourera le jaune, qui sera encore liquide.

71 Est-il vrai que la crème fraîche ne peut pas bouillir ?

- Non, la crème peut bouillir à condition de ne pas prolonger trop longtemps l'ébullition : en effet, passé un certain stade, elle tourne en beurre et se désagrège pour se transformer en une sauce grasse et écœurante au goût.

Lorsque vous faites bouillir de la crème, observez bien ses différents stades de cuisson : elle va d'abord se liquéfier au contact de la chaleur du feu, puis monter dans la casserole, puis redescendre et se reconstituer. À partir de là, elle va réduire : ne la quittez plus des yeux et agitez la casserole en donnant un mouvement de va-et-vient sur le feu pour l'empêcher de trop cuire sur les bords et au centre. Arrêtez le feu dès qu'elle épaissit.
Si elle n'épaissit pas en réduisant, elle est de mauvaise qualité ou plus très fraîche : elle restera « en eau ».

> **Bon à savoir : Si la crème commence à tourner, retirez la casserole du feu et ajoutez quelques cuillerées de crème, ou de l'eau froide si vous n'avez plus de crème. Mélangez hors du feu pour redonner une belle consistance à la sauce.**

 Comment empêcher la crème de tourner quand on la mélange à du citron ?

- Le mélange crème-citron ne supporte pas l'ébullition. Faites d'abord épaissir la crème et n'ajoutez le jus de citron qu'au dernier moment, lorsque la crème n'est plus sur le feu. Remuez pour bien mélanger la crème et le citron.
- Procédez de même avec du vinaigre.

 Comment empêcher le lait de déborder ?

- Placez au fond de la casserole une petite soucoupe à l'envers avant de verser le lait.

Comment empêcher le lait d'attacher ?

- Avant de verser le lait, faites couler un peu d'eau froide dans la casserole, puis jetez-la. N'essuyez pas la casserole, versez le lait et faites-le bouillir.

 Comment empêcher le beurre mis dans une poêle de crépiter et de faire des projections ?

- Saupoudrez légèrement la poêle de sel fin avant de mettre le beurre à fondre.

> **Bon à savoir :** Replacez toujours le beurre au réfrigérateur après utilisation. L'air et la lumière l'altèrent et le font rancir très rapidement.

 Comment conserver du beurre sans réfrigérateur ?

- Plongez le beurre bien emballé dans un pot en grès rempli d'eau fraîche. Changez l'eau tous les jours pour qu'elle reste toujours fraîche.

 Combien de temps avant le repas faut-il sortir les fromages du réfrigérateur ?

- 1 h minimum. Enlevez leur emballage, posez-les sur un plateau, recouvrez-les d'un linge. Gardez-les dans une pièce fraîche.

Comment conserver des fromages entamés ?

- Recouvrez l'entame d'une feuille de film étirable transparent. Enveloppez-les dans leur papier d'emballage. Gardez-les dans le bas du réfrigérateur.

> **Bon à savoir : Pour conserver du comté ou de l'emmental sans qu'ils sèchent, enveloppez-les dans un linge humide trempé dans du lait froid ou de l'eau. Le fromage ne croûtera pas et restera moelleux. Gardez-le au réfrigérateur.**

79 Comment préparer des crottins de Chavignol chauds ?

- Coupez chaque crottin en deux dans le sens de la hauteur. Posez-les sur la grille ou la plaque du four recouverte d'une feuille d'aluminium, la croûte du fromage au-dessus. Mettez-les 1 min sous le gril du four brûlant. Surveillez le four pour qu'ils ne brûlent pas.
- Servez-les sur un lit de salade frisée, avec une sauce vinaigrette à base d'huile de noix et de vinaigre de Xérès. Parsemez la salade de noix concassées ou de lamelles de noisettes grillées.

> **Bon à savoir : Si vous disposez d'un garde-manger ou d'une cave fraîche, c'est l'idéal pour y conserver les fromages de chèvre. Il faut toutefois retirer leur emballage pour qu'ils continuent à s'affiner.**

5
L'épicerie

Comment cuire des pâtes sans qu'elles collent entre elles ?

- Leur cuisson doit se faire dans une très grande quantité d'eau bouillante salée, sans couvercle. N'utilisez pas de casserole de taille moyenne mais un fait-tout ou un autocuiseur sans couvercle. Ajoutez 1 ou 2 c. à soupe d'huile dans l'eau de cuisson, ainsi les pâtes ne colleront pas entre elles. Attendez que l'eau bout à gros bouillons avant de les plonger dedans. Ne versez pas le paquet en une seule fois mais petit à petit, en pluie.
- Remuez les pâtes avec une cuillère en bois jusqu'à reprise de l'ébullition, et une ou deux fois encore pendant la cuisson. Les pâtes absorbent beaucoup d'eau et, si le volume d'eau n'est pas suffisant, leur amidon se transformera en bouillie de pâtes.

Respectez le temps de cuisson toujours indiqué sur les paquets. Les pâtes trop cuites sont fades, ne les laissez pas séjourner dans l'eau une fois cuites.

> **Bon à savoir :** Salez l'eau des pâtes avec du gros sel. Comptez 1 c. à café bombée de gros sel par litre d'eau. Surtout, ajoutez le sel seulement quand l'eau commence à bouillir.

 Quelle quantité de pâtes compter par personne ?

- 80 g en plat principal, 60 g en légume d'accompagnement.
- Évaluez la quantité par rapport au poids du paquet : comptez un paquet de 250 g pour 4 personnes, par exemple.

Comment réchauffer un reste de pâtes ?

- Réchauffez-les à la vapeur pendant 5 min, ou bien installez-les dans une passoire et immergez celle-ci dans une grande casserole remplie d'eau bouillante quelques minutes.
- Vous pouvez aussi les réchauffer dans un peu de lait chaud ou quelques cuillerées à soupe de crème fraîche.

 Comment cuire des pâtes fraîches ?

- Avant de les plonger dans l'eau bouillante salée, détachez-les soigneusement les unes des autres en les soulevant pour éviter qu'elles collent entre elles à la cuisson. Divisez-les en deux ou trois petits tas selon la quantité à cuire.
- Plongez-les par petites poignées dans l'eau qui bout à gros bouillons. Ne couvrez pas le fait-tout, remuez délicatement les pâtes en les soulevant avec une cuillère en bois.

 Quel est le temps de cuisson des pâtes fraîches ?

- Il varie en fonction de la forme des pâtes (spaghettis, tagliatelles, fettucines...), mais il est très court. Commencez à les goûter 2 min après l'ébullition de l'eau.

 Faut-il cuire le riz à l'eau froide ou à l'eau chaude ?

- À l'eau bouillante salée. Pour mesurer facilement le volume d'eau, versez le riz cru dans un grand bol et comptez 2 volumes d'eau identiques à celui du riz. Si vous devez ajouter de l'eau en fin de cuisson (en effet, selon la marque du riz, il en absorbe plus ou moins), remettez de l'eau bouillante et non de l'eau froide.

86 **Quelle quantité de riz faut-il compter par personne ?**

- 60 g, soit la valeur de 3 c. à soupe rases.

87 **Quel est le temps de cuisson du riz ?**

- À l'eau bouillante salée (riz aux grains longs), selon la marque : de 15 à 20 min.
- À l'eau bouillante salée (riz aux grains ronds) : de 20 à 25 min.
- Au gras, selon la marque : de 25 à 35 min.

88 **Comment cuire le riz au gras ?**

- Mesurez la quantité de riz nécessaire par personne, puis le volume d'eau. Pour 4 personnes, faites fondre 20 g de beurre dans une casserole et faites-y revenir doucement le riz cru, sur feu doux, jusqu'à ce que les grains deviennent transparents.
Avant le mettre le riz dans le beurre, vous pouvez faire revenir 1 ou 2 échalotes finement hachées et ajouter ensuite le riz cru.
- Si vous en avez, mouillez avec 2 volumes de bouillon (poule ou pot-au-feu) ; sinon, 2 volumes d'eau bouillante. Ajoutez 1 branche de thym. Couvrez la casserole et surveillez bien en fin de cuisson pour éviter que le riz n'attache au fond. Vous pouvez ajouter sur la surface du riz cuit 2 ou 3 noisettes de beurre frais.

Quel riz utiliser pour le riz au lait ?

- Les grains ronds, plus faciles à mouler. Faites blanchir le riz avant de le cuire dans le lait pour éliminer une partie de son amidon ; pour cela, couvrez le riz d'eau froide, amenez l'eau à ébullition, laissez cuire 2 à 3 min. Égouttez le riz dans une passoire.
- Faites-le cuire ensuite dans le lait bouillant, à très petit feu (pour 300 g de riz, comptez 2 l de lait). Le riz est cuit lorsqu'il a absorbé tout le lait.

 Quelle huile utiliser pour la friture ?

- Uniquement celle dont l'étiquette mentionne « huile végétale pour friture et assaisonnement ». Elle peut être utilisée pour frire, cuire, et convient à tous les autres usages. Toutes les huiles ne sont pas bonnes pour la friture ; celles qui ne supportent pas d'être chauffées ont un étiquetage différent : « huile végétale pour assaisonnement ». Utilisez-les uniquement pour les sauces de salade.

 Comment conserver l'huile ?

- Toujours à l'abri de la lumière et de la chaleur, dans un endroit frais et sombre, ce qui l'empêchera de rancir, surtout si la bouteille est entamée. Ne la rangez pas sur les étagères de la cuisine mais dans un placard ou sous l'évier, et loin de la cuisinière. Gardez la bouteille bien fermée.

 Comment savoir à quel moment plonger les aliments à frire dans un bain de friture ?

- Mettez le bain de friture à chauffer à feu moyen pendant au moins 5 min, puis plongez-y un petit morceau de l'aliment à frire ; si celui-ci remonte en bouillonnant au bout de quelques secondes, la température pour y plonger les aliments est bonne.

Combien de fois peut-on utiliser le même bain de friture ?

- 10 à 12 fois au maximum, à condition que l'huile n'ait jamais dépassé la température critique, soit 180°. Au-delà de cette température, l'huile se décompose, commence à brunir, dégage une forte fumée et devient toxique. Jetez-la : elle n'est plus utilisable.

Comment enlever les petits déchets qui se déposent dans la friture ?

- Laissez refroidir l'huile puis passez-la au travers d'un tamis fin au-dessus d'une jatte. Ou, pendant qu'elle est encore chaude, déposez 1 blanc d'œuf sur sa surface en faisant très attention aux projections d'huile. Attendez pour poser le blanc qu'elle ait déjà un peu refroidi. Le blanc happera en cuisant toutes les impuretés. Retirez-le ensuite avec une écumoire.
Conservez le bain d'huile à l'abri de l'air, de la lumière et de la chaleur. Couvrez-le soigneusement.

Quel sel faut-il avoir dans sa cuisine ?

- Du sel fin et du gros sel.
Que ce soit le sel fin ou le gros sel, privilégiez les sels gris qui sont naturels et n'ont subi aucun traitement.

Qu'est-ce qu'une pincée de sel ?

- La quantité de sel que vous pouvez prendre entre deux doigts.

97 Qu'est-ce qu'une fleur de sel ?

- Les fins cristaux de sel qui se forment à la surface des marais salants. Cette fleur de sel toute blanche est neigeuse et aérienne. Elle craque délicatement sous la dent. C'est le *nec plus ultra* du sel.
Elle ne sert pas pour la cuisson des aliments. Utilisez-la à table pour saler les viandes, les poissons, les volailles, les légumes et le foie gras. Mettez-la dans une coupelle et non dans une salière.

98 À quoi sert le gros sel ?

Utilisez-le surtout pour :
- saler les grandes quantités de liquide (légumes à cuire ou à blanchir, potages, pot-au-feu, pâtes...) ;
- faire rendre l'eau à certains légumes (aubergines, concombres) ;
- cuire « à la croûte au sel » un poulet entier ou un poisson ;
- assaisonner des grosses pièces de viande, des volailles, des rôtis.

> **Bon à savoir : Pour préserver le sel fin de l'humidité, ajoutez dans la salière quelques grains de riz cru. Conservez le gros sel dans une boîte en bois avec un couvercle hermétique.**

Comment conserver le concentré de tomates une fois la boîte entamée ?

- Ne laissez surtout pas le reste de concentré dans la boîte. Videz-le dans une tasse, versez environ 1 petite c. à café d'huile sur le dessus et ne remuez pas afin que l'huile reste en surface et protège de l'air le concentré de tomates. Couvrez la tasse d'une feuille de papier aluminium ou d'un film transparent étirable.
Gardez-le au frais dans le réfrigérateur. Il se conservera ainsi 1 semaine sans s'altérer.

 Comment utiliser la gélatine en feuilles ?

- Faites-la ramollir 5 min dans un récipient empli d'eau froide (jamais dans l'eau chaude, les feuilles fondraient). Détachez dans l'eau les feuilles les unes des autres.
- Égouttez-les au travers d'une passoire puis essorez-les en les pressant fermement entre les mains. Il ne doit plus rester d'eau entre les feuilles sinon la gélatine prendra mal.
- Pour qu'elle fonde, la préparation dans laquelle vous allez l'ajouter doit être chaude. Mélangez cette gélatine ramollie avec la préparation en remuant avec une cuillère en bois. La gélatine ayant tendance à coller au fond du récipient dans lequel elle fond, vérifiez qu'il n'en reste plus quand vous l'avez retirée.

101 Comment préparer la gélatine en poudre ?

- Faites-la fondre dans un petit bol où vous aurez versé juste un peu de la préparation chaude à laquelle elle doit s'incorporer. En effet, la gélatine en poudre a tendance à s'agglomérer en petites boules si vous la versez dans une trop grande quantité de liquide.

Procédez en deux fois, remuez bien dans le bol pour que la gélatine fonde complètement, puis ajoutez le mélange au reste du liquide à épaissir.

 Quelle quantité de gélatine utiliser ?

- 6 feuilles ou 6 c. à café de gélatine en poudre pour 1/2 l de liquide.

103 Comment préparer un plat en gelée ?

- Préparez le plat en gelée la veille du jour prévu pour sa consommation.
- Faites fondre soigneusement le sachet de gelée, à petit feu, en remuant sans cesse avec une cuillère en bois pour que la gelée n'attache pas au fond de la casserole. Respectez la quantité d'eau indiquée sur le paquet. Laissez refroidir la gelée avant de l'utiliser.
- À l'aide d'une louche, versez un peu de gelée tiédie au fond du récipient puis agitez celui-ci en tous sens pour que la gelée nappe les parois et mettez-le au réfrigérateur jusqu'à ce que la gelée refroidisse et se solidifie.
- Installez sur la couche de gelée les ingrédients du décor (rondelles d'œuf dur, lamelles d'olives noires, dés ou losanges découpés sur la peau d'1 tomate, croisillons de feuilles d'estragon...). Trempez chaque ingrédient dans la gelée avant de la poser, il adhérera mieux à la gelée déjà prise. Versez très doucement un peu de gelée pour ne pas détruire le décor. Laissez prendre au réfrigérateur. Posez les aliments choisis (œuf poché, lamelle de mousse de foie, dés de jambon ou de poulet...) et recouvrez-les de gelée. Laissez prendre au réfrigérateur.

104 Comment démouler un plat en gelée ?

- Trempez quelques secondes la moitié inférieure du moule dans un récipient rempli d'eau chaude. Essuyez le fond du moule et retournez-le sur un plat ou une assiette. Entourez les mets de losanges ou de dés de gelée.

> **Bon à savoir : Inratable, le démoulage d'un plat en gelée si vous avez pris soin, au préalable, de tapisser le moule utilisé de film alimentaire étirable transparent en le faisant dépasser des bords de l'ustensile. Au moment de démouler, il vous suffira de tirer le papier afin de le dégager du moule.**

105 Comment découper la gelée en petits carrés ou en losanges pour décorer un plat ?

- Versez la gelée liquide encore chaude dans une assiette creuse. Laissez-la refroidir au frais jusqu'à ce qu'elle prenne. Découpez-la ensuite avec la pointe d'un couteau en morceaux de la forme choisie. Décollez délicatement ceux-ci de l'assiette avec une cuillère.

106 Comment utiliser le pain rassis ?

- En chapelure maison.
- En croûtons frits pour des potages, des salades.
- En pain perdu.
- En pudding.

Pour en faire de la chapelure : découpez le pain en morceaux et mettez-les dans un sac en plastique, couvrez d'un linge et passez le rouleau à pâtisserie plusieurs fois dessus jusqu'à ce que le pain soit réduit en poudre.

> **Bon à savoir : Vous pouvez sécher les croûtons dans un four chaud plutôt que les faire frire à la poêle : ils seront croustillants et sans graisse.**

107 Comment enlever le goût de conserve aux boîtes de haricots verts, céleris, et autres légumes ?

- Mettez les légumes dans une passoire, rincez-les sous le robinet d'eau froide. Immergez la passoire dans une casserole remplie d'eau bouillante jusqu'à reprise de l'ébullition. Vous pouvez les servir tels ou les faire sauter 5 min à la poêle avec un peu de beurre, sans cesser de les retourner avec une spatule pour éviter qu'ils brûlent.

6
Les fines herbes

108 Quand faut-il ajouter les fines herbes à un plat chaud ?

À part le bouquet garni, qui doit cuire en même temps que les préparations, les fines herbes ne supportent pas l'ébullition : elles perdent tout leur arôme, subtil mais fragile. Hachez-les puis parsemez-les sur le plat chaud au dernier moment.

Les fines herbes servent à exalter la saveur d'un plat mais ne doivent jamais couvrir son arôme : 1 c. à café suffit, en général, pour parfumer un plat de quatre personnes, en dehors du persil qu'il faut généreusement employer – 1 c. à soupe pour deux personnes.

109 Comment préparer un bouquet garni ?

- Séparez les tiges des feuilles d'1 bouquet de persil. Ficelez en petit fagot quelques tiges (queues de persil), 1 ou 2 brindilles de thym, 1 feuille de laurier séchée. Disposez le thym et le laurier au milieu des tiges de persil. Gardez les feuilles pour parfumer et décorer les plats.

Vous pouvez varier le parfum du bouquet garni en ajoutant 1 branche de céleri frais ou séché, 1 feuille de sauge, 1 branche de romarin ou quelques tiges de fines herbes : estragon, aneth.

110 À quoi sert le bouquet garni ?

- À parfumer toutes les préparations à base de sauces, blanquette, coq au vin... ou de bouillon, pot-au-feu, court-bouillon de poisson... Ajoutez-le toujours en début de cuisson. N'oubliez pas de le retirer de la sauce ou du plat avant de servir.

**Bon à savoir : Pour hacher rapide-
ment les fines herbes, tassez-les au
fond d'un verre et ciselez-les avec les
pointes d'un ciseau.**

111 Comment nettoyer les fines herbes ?

Persil, menthe, ciboulette, estragon, cerfeuil, aneth,
basilic s'achètent en bouquets sur les marchés.
- Posez le bouquet sur une planche, coupez d'un seul
coup avec un couteau le bout sec des tiges. Retirez avec
des ciseaux le lien qui retient les branches entre elles.
Enlevez toutes les feuilles flétries ou jaunies. Lavez soigneusement les herbes sous le robinet d'eau froide.
Séchez-les en les essorant dans l'essoreuse à salade.

112 Comment conserver les fines herbes ?

- Séparez les feuilles des tiges (sauf pour la ciboulette).
Gardez chaque herbe séparément dans un bocal fermant hermétiquement ou dans une boîte en plastique
fermée. Conservez-les au frais au réfrigérateur, elles
resteront fraîches 1 semaine.
Utilisez les feuilles pour parfumer et décorer les plats,
les tiges pour confectionner les bouquets garnis.

Bon à savoir : Pour conserver des fines herbes pour l'hiver, il faut récupérer les boîtes plastiques (et non carton) des œufs. Lavez, triez puis séchez soigneusement les feuilles de persil, cerfeuil, estragon, basilic, aneth, menthe. Hachez-les finement puis tassez-les au fond des alvéoles de la boîte (ou dans un bac à glaçons). 1 c. à soupe par alvéole suffira pour parfumer un plat de 4 personnes. Ajoutez 1 c. à café d'eau froide. Laissez prendre au congélateur. Une fois congelées, classez-les dans des sacs en plastique. Étiquetez chaque sac. Vous pouvez aussi congeler les fines herbes en les plaçant directement dans des sachets en plastique. Utilisez-les congelées pour les préparations chaudes (soupes, sauces, pâtes, viandes en sauce...) en les plongeant dans le récipient au dernier moment. Laissez-les décongeler 1 h avant de les ajouter dans des salades ou des sauces froides.

 Quelle est la différence entre le persil plat et le persil frisé ?

- Le persil plat est beaucoup plus parfumé. Préférez-le au frisé.

114 Qu'est-ce que l'aneth ?

- Une fine herbe au goût proche des brins verts de fenouil frais, légèrement anisé. Il se présente en bouquet, comme un bouquet de persil plat mais, au lieu de feuilles, il se compose de brindilles fines de couleur vert foncé.

115 Comment utiliser l'aneth ?

C'est le compagnon idéal du saumon frais ou fumé.
- Détachez les brindilles de la tige et parsemez-les sur le saumon. Ajoutez les tiges dans les courts-bouillons de poisson et à l'intérieur du poisson.
- Mélangez les brindilles à la crème fraîche, au fromage blanc.
- Saupoudrez-les sur les salades de tomates, les œufs durs, le caviar d'aubergine.

116 Comment utiliser l'estragon ?

N'en abusez pas car son arôme est puissant. 1/2 c. à café suffit pour parfumer un plat de 4 personnes.
- Mélangez-le aux autres fines herbes dans les omelettes, la sauce béarnaise, la sauce rémoulade. Parsemez-le sur la salade verte, le veau en sauce.
- Emplissez l'intérieur d'un poulet avec 1 bouquet entier d'estragon. Laissez-le ainsi 1 nuit ou 1 journée. Faites cuire le poulet sans l'enlever, il lui donnera un merveilleux parfum.

117 Comment utiliser la menthe ?

- La menthe rafraîchit les salades d'été, les salades de fruits.
- Parsemez-la dans le taboulé.
- Utilisez-la dans les desserts à base de chocolat, décorez-en les sorbets, les glaces.
- Elle est, bien sûr, la base du thé à la menthe.

118 Comment éplucher le cerfeuil ?

Le cerfeuil ne se hache pas mais s'épluche feuille par feuille à la main, ou en séparant les feuilles des tiges avec des ciseaux.

119 Comment utiliser le cerfeuil ?

- En pluches dans des salades de champignons, des crudités, des soupes de légumes, des concombres chauds ou froids.
- Avec les volailles pochées, sur une sauce blanche.
- Mélangé à d'autres herbes pour les omelettes, la sauce rémoulade.

120 Comment utiliser le basilic ?

- Sur toutes les préparations à base de tomate crue ou cuite, sur toutes les salades d'été.
- Avec de l'ail ou non dans les pâtes.
- Avec les œufs, qu'il parfume.
- Et bien sûr, il sert de base à la soupe au pistou (pistou signifie basilic).
- Emplissez de ses tiges le ventre des poissons comme la dorade, le loup (ou bar).

Bon à savoir : Pour conserver plusieurs semaines du basilic, hachez grossièrement les feuilles, mettez-les dans un pot en verre et couvrez à hauteur d'huile d'olive.

121 Comment utiliser la ciboulette ?

La ciboulette ne se hache pas facilement au couteau sur une planche : ciselez-la avec des ciseaux au-dessus des aliments.
- Mélangée aux autres fines herbes dans les sauces béarnaise, rémoulade ou ravigote, dans les omelettes.
- Parsemez-en les salades, les tomates, les œufs.
- Saupoudrez-la sur les poissons cuits à la vapeur, les viandes blanches (veau, dinde).

Bon à savoir : Une sauce délicieuse et facile à faire : ciselez 1 botte de ciboulette dans un bol de fromage blanc assaisonné de sel et de poivre. Si vous aimez l'ail et l'échalote, n'hésitez pas à les incorporer à la sauce. Idéal avec des tomates, des salades diverses et des pommes de terre cuites en robe des champs.

122 **Quelles fines herbes utiliser pour l'omelette... aux fines herbes ?**

- Cerfeuil, ciboulette, estragon et persil, à raison d'1 c. à soupe bien bombée du mélange pour une omelette de 4 à 5 œufs.

123 **Comment utiliser la sauge ?**

La sauge a un parfum très fort. Utilisez seulement 2 ou 3 feuilles pour un plat de 4 personnes.
- Elle se marie bien avec le porc : piquez le rôti de porc de 2 ou 3 feuilles ciselées en petits morceaux. Parsemez les côtelettes de porc ou de veau d'1/4 de feuille chacune.

124 **Quelle quantité de laurier et de thym utiliser dans les plats ?**

- 1 feuille de laurier et 1 ou 2 brindilles de thym, frais ou séchés, suffisent pour aromatiser un plat de 4 personnes.

125 **Comment utiliser les fines herbes séchées ?**

- En moindre quantité que les fraîches car, une fois sèches, les feuilles ont réduit de volume. 1/2 c. à café correspond à 1 c. à café bombée d'herbes fraîches.

126 **Comment utiliser la coriandre ?**

La coriandre a un goût très prononcé de citron amer.
- *Fraîche* : le bouquet ressemble beaucoup au persil plat. Elle parfume merveilleusement tous les plats exotiques, les salades fraîches d'été.

- *En graines séchées*, utilisez-la dans les champignons, les légumes à la grecque (1 c. à soupe pour 4 personnes), les cornichons, les marinades.

7
Les poissons et les fruits de mer

Comment reconnaître la fraîcheur d'un poisson ?

– Tout d'abord à son absence d'odeur. Qu'il soit d'eau douce ou d'eau de mer, il doit juste fleurer la marée. N'en achetez pas chez un poissonnier dont l'étalage dégage une forte odeur d'ammoniaque.
– Regardez ensuite les yeux : ils doivent être bombés, emplissant bien la cavité orbitale, la pupille noire et brillante.
– Sa chair doit être ferme, c'est-à-dire ni molle ni plissée. Pour mieux l'apprécier, tâtez-le du doigt : si l'empreinte reste, la chair est flasque.
– Quand vous achetez du poisson *en tranches*, vérifiez que l'arête adhère bien à la chair et qu'il n'y a pas de trace de sang autour de cette arête.
– Quand vous l'achetez *en filets*, tâtez-le du doigt, l'empreinte doit s'effacer tout de suite.

 Comment ôter les écailles d'un poisson quand cela n'a pas été fait par le poissonnier ?

– Enfermez le poisson dans un sac en plastique, la tête en bas et, avec un linge, tenez-le fermement par la queue. Grattez les écailles avec le plat d'un couteau en les enlevant du haut vers le bas. Elles resteront ainsi dans le sac plastique.

 Comment vider un poisson ?

– Installez-vous au-dessus de l'évier. Ouvrez le ventre du poisson avec des ciseaux sur 5 ou 10 cm, suivant sa longueur, puis raclez l'intérieur avec une cuillère.
– Passez le poisson, le ventre bien ouvert, sous l'eau froide, enlevez soigneusement tous les caillots de sang

et la peau noire qui pourraient rester accrochés à l'arête. Séchez bien l'intérieur avec un linge ou du papier absorbant.
- Avec des ciseaux, enlevez ensuite toutes les nageoires, sous le ventre, sur le dos, sous la tête, et raccourcissez la queue.

130 Quelle quantité de poisson compter par personne ?

- 1 filet sans arête : 150 g
- 1 tranche ou 1 tronçon avec arête : 200 g
- 1 poisson entier : 200 à 250 g
- 1 friture de petits poissons : 250 g

131 Comment préparer un court-bouillon pour cuire le poisson ?

Un court-bouillon se prépare d'avance et doit être cuit avant qu'on y plonge le poisson à pocher. Il peut être à base de vin blanc ou de vinaigre blanc.

- **Au vin blanc** : pour 1 l d'eau, ajoutez 1/2 l de vin blanc sec, 2 oignons épluchés puis coupés en rondelles, 3 carottes épluchées, découpées en rondelles, 2 échalotes coupées en deux, 1 bouquet garni, 1 c. à soupe de gros sel, 1/2 c. à café de poivre en grains. Couvrez la casserole et laissez cuire 45 min à feu moyen.

- **Au vinaigre blanc** : faites cuire 1 l d'eau avec les mêmes ingrédients 30 min. Quand tous les légumes sont cuits, ajoutez la valeur d'1/2 verre à moutarde de vinaigre blanc, ainsi les légumes ne durciront pas sous l'action du vinaigre. Laissez cuire encore 15 min.

Passez le court-bouillon au travers d'une passoire avant d'y mettre les poissons à cuire.

> **Bon à savoir : Vous pouvez utiliser des courts-bouillons pour poisson, vendus sous forme de tablettes, ou du fumet de poisson déshydraté en poudre. Diluez alors la quantité nécessaire (inscrite sur le paquet) dans de l'eau chaude avant de cuisiner le poisson.**

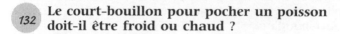 **Le court-bouillon pour pocher un poisson doit-il être froid ou chaud ?**

- *Froid*, si le poisson est entier : chaud, il aurait pour effet de rétrécir la chair délicate du poisson et de la déformer.
- *Chaud* pour les poissons détaillés en filets ou en tranches, pour saisir, au contraire, les chairs et éviter que les sucs contenus dans les poissons s'échappent dans le court-bouillon.

> **Bon à savoir : Pendant toute la durée de la cuisson des poissons pochés, le court-bouillon ne doit pas bouillir mais seulement frémir.**

133 **Comment sortir un poisson entier du court-bouillon sans qu'il se casse ?**

- Avant de le mettre à cuire, roulez le poisson écaillé et vidé dans un grand linge de cuisine. Liez les deux extré-

mités du linge avec de la ficelle à rôti en laissant 30 cm de ficelle en plus.
- Plongez le poisson dans le court-bouillon froid, enroulez les ficelles autour des poignées de la casserole ou d'une grande cuillère en bois placée en travers de celle-ci.
- Sortez-le dès qu'il est cuit en soulevant à deux mains les ficelles ou la cuiller, déposez-le sur une planche puis déroulez le linge en laissant le poisson glisser sur un plat de service chaud.
Si vous désirez le servir froid, laissez-le refroidir dans le court-bouillon mais diminuez alors le temps de cuisson de 5 min.
Enlevez la peau avant de le servir, n'attendez pas qu'il soit complètement froid, servez-le aussitôt sorti du court-bouillon.

 Quel est le temps de cuisson des poissons pochés ?

- Plongés *dans le court-bouillon chaud* (frémissant) :
en filets minces, 3 à 4 min ;
en tranches épaisses : 6 à 8 min.
- Plongés *dans le court-bouillon froid*, comptez le temps de cuisson à partir de la reprise de l'ébullition, puis baissez le feu et laissez cuire l'eau à frémissement :
- poissons en portion individuelle ne dépassant pas 250 g, 3 min ;
- poissons entiers d'1 kg à 1,5 kg, 10 à 12 min selon leur taille ; de 2 kg, 15 à 20 min ;
- gros poissons entiers dépassant 2 kg, 5 à 7 min par livre ; en effet, tout dépend de la taille, de l'épaisseur du poisson, de sa chair – maigre, grasse ou gélatineuse.
Demandez conseil à votre poissonnier et procurez-vous une casserole spéciale (poissonnière) pour le cuire.

> **Bon à savoir : Si vous cuisez des poissons à la poêle, farinez-les légèrement pour les enrober d'une jolie croûte dorée et croustillante.**

135 **Comment fariner aisément un poisson ?**

- Séchez soigneusement le poisson pour retirer l'humidité.
- Versez 1 c. à soupe de farine dans une poche en plastique. Mettez-y les morceaux du poisson un par un (ou par poignées pour les petits poissons à frire) et secouez le sac en tous sens : ils s'enroberont de farine sans excès.

136 **Quel est le temps de cuisson des poissons cuits à la poêle ?**

- *En filets minces sans arêtes* : 2 à 3 min à feu moyen de chaque côté.
- *En tranches épaisses*, selon leur grosseur : 4 à 6 min à feu moyen, en les retournant deux ou trois fois. Baissez le feu à mi-cuisson.
- *Entiers, en portions individuelles* (s'ils ne dépassent pas 250 g, sinon les cuire au four) : 6 à 8 min en les retournant toutes les 2 min. Baissez le feu à mi-cuisson.

> **Bon à savoir :** Une recette facile de sauce meunière : préparez sur une assiette une dizaine de petits cubes de beurre frais. Versez le jus d'1 citron et 2 c. à soupe d'eau dans une casserole. Portez le jus à ébullition. Sans attendre, fouettez-y vivement les noisettes de beurre frais avec un fouet ou une fourchette. Parsemez généreusement le poisson de persil haché. Versez la sauce meunière dessus.

137 **Quel est le temps de cuisson des poissons entiers cuits au four ?**

Dans un four préchauffé à chaleur maximale, selon le type du four, thermostat 8 ou 10 :
- 20 min pour un poisson de 1 kg ;
- 40 min pour un poisson de 1,5 kg.

138 **Faut-il enlever la peau grise et la peau blanche d'une sole avant de la cuire à la poêle ?**

- Oui, c'est indispensable. Demandez à votre poissonnier de le faire.

139 **Comment préparer les sardines fraîches, toujours vendues non écaillées et non vidées ?**

- Pour les vider, c'est facile : en coupant la tête, les viscères viennent avec.
- Pour les écailler, essuyez-les dans du papier absorbant : cela entraînera les écailles.
- Pour les nettoyer, passez-les une à une sous un filet d'eau froide, puis séchez-les dans du papier absorbant.

> **Bon à savoir :** Les sardines peuvent se déguster crues dans une marinade simple faite de jus de citron et d'un peu d'huile.
> Pour les préparer, il faut les vider, les écailler, les nettoyer, les sécher, puis tirer sur l'arête du bout des doigts. Disposez-les ensuite dans un plat creux, côté peau sur le fond, salez et poivrez, puis arrosez-les de marinade. Gardez-les au réfrigérateur jusqu'au moment de servir. Dégustez-les avec du pain de campagne grillé et chaud. C'est délicieux.

140 **Que faut-il faire avant de cuire des ailerons de raie ?**

- Il faut absolument les laver et les brosser dans une eau vinaigrée pour enlever l'enduit visqueux qui les enrobe.

141   Comment cuisiner les ailerons de raie ?

La meilleure façon est de les pocher dans un court-bouillon pour poisson.
- Le temps de cuisson varie avec l'épaisseur de l'aileron. S'il est fin, 5 min suffisent dans un court-bouillon chaud ; s'il est épais, comptez 10 min.
- En fin de cuisson, égouttez les ailerons et retirez les peaux gélatineuses accrochées à la chair en les grattant avec le plat d'un couteau.
Arrosez d'une sauce meunière ou d'un beurre noisette.

> **Bon à savoir** : Faites fondre, puis chauffez le beurre dans une casserole et, dès qu'il prend une couleur noisette, retirez la casserole du feu. Arrêtez la cuisson du beurre en y ajoutant 1 noix de beurre frais.

142   Faut-il écailler un poisson mis à cuire entier sur le gril ?

- Non, les écailles et la peau le protègent de la chaleur vive du feu. Le poisson se desséchera moins et sa chair sera plus moelleuse. Ne mangez pas la peau.

143   Comment éviter que les poissons cuits sur le gril se dessèchent ?

- Badigeonnez-les plusieurs fois pendant la cuisson avec un pinceau plat trempé dans de l'huile, ou avec 1 petit bouquet de thym ou de romarin trempé dans l'huile marinée.

Comment faire soi-même une huile marinée pour la cuisson des poissons au gril ?

Avant d'être utilisée, une huile marinée doit macérer au moins 10 jours avec ses ingrédients.
- Remplissez un bocal fermant hermétiquement avec 1/2 l d'huile d'olive, 1/4 de c. à café de sel fin, 10 grains de poivre mélangés (blanc, noir, vert), 2 ou 3 branches de fenouil séchées ou 3 c. à soupe de vert de fenouil frais haché, 2 gousses d'ail épluchées, 1 feuille de laurier.

 Quel est le temps de cuisson des poissons grillés ?

- *En filets minces* : 2 à 3 min de chaque côté.
- *En tranches épaisses*, selon leur épaisseur : 4 à 6 min.
- *Un poisson entier* d'1 kg à 1,5 kg : 8 à 10 min de chaque côté ; de 2 à 3 kg : retournez-le et badigeonnez-le plusieurs fois d'huile pendant la cuisson – 12 à 15 min de chaque côté.

146 Qu'est-ce que la morue ?

On appelle morue le cabillaud séché puis salé sur le lieu même de la pêche à bord des bateaux. Sa couleur varie du blanc ivoire au blanc ambré selon le degré de séchage et de salage. La morue se présente sous forme de filets ou entière avec sa peau.
Par personne, comptez :
- *en filets*, 150 g ;
- *entière avec sa peau*, 200 à 250 g, soit, pour 4 personnes, 1 kg.

> **Bon à savoir :** Récupérez le sel répandu sur la morue entière avec la peau, car il donne un goût incomparable aux vinaigrettes, aux pommes de terre, aux poissons cuits à la vapeur. Pour le conserver, faites-le sécher au four sur une plaque recouverte de papier aluminium pour qu'il perde son humidité.

 Comment faire dessaler la morue ?

- Découpez-la en petits morceaux. Mettez ceux-ci dans une passoire sur pied, côté peau au-dessus. Placez la passoire dans une bassine remplie d'eau fraîche. Les morceaux de morue ne doivent pas reposer sur le fond de la bassine car le sel retombant au fond, ils se resaleraient.
- Laissez tremper les morceaux 24 h. Changez l'eau trois ou quatre fois en vidant complètement la bassine pour bien enlever le sel au fond.
- La morue vendue en filets est moins salée : laissez-la tremper 12 h seulement.

 Comment ôter le goût de vase aux poissons pêchés en étang ?

- Faites-leur avaler 1 c. à café de vinaigre en maintenant leurs ouïes fermées.
- Si vous n'avez pu le faire, attendez 1 ou 2 jours avant de les cuire. Laissez-les dans une bassine d'eau fraîche. Changez l'eau souvent, surtout par temps chaud.

149 Comment acheter des poissons fumés ou salés ?

Laissez de côté les poissons ou filets à l'aspect desséché et trop coloré : un poisson fumé ou salé n'est bon que s'il est bien en chair, épais et de couleur claire. Il doit être souple dans la main.
Par personne, comptez 100 g, soit 1/2 filet.

150 Comment faire dessaler un poisson fumé ?

- Posez les filets dans un plat creux, recouvrez-les de lait froid et laissez-les dessaler 2 à 3 h en changeant le lait une fois.
- Rincez-les sous l'eau froide. Épongez-les avant de les cuire.

151 Comment pocher un poisson fumé ?

- Posez les filets dans une sauteuse, recouvrez-les d'eau froide. Ne salez pas, le poisson l'est déjà. Mettez la casserole sur feu doux et laissez-les cuire 2 à 3 min sans faire bouillir l'eau, pour éviter qu'ils durcissent. Si les filets sont minces, retirez-les après la reprise de l'ébullition. Ne laissez pas bouillir l'eau, baissez le feu.
- Si vous faites cuire plusieurs filets à la fois, laissez-les cuire 5 à 6 min, toujours sans ébullition.

152 Comment ouvrir des huîtres ?

Préparez un plateau avec de la glace pilée. Ouvrez les huîtres au dernier moment.
- Protégez-vous la main gauche avec un linge de cuisine épais. Tenez l'huître dans cette main et, de l'autre,

enfoncez la pointe d'un couteau à huîtres dans la char-
nière. Dès que celle-ci cède un peu, glissez la lame entre
les deux coquilles en effectuant des mouvements de va-
et-vient. Soulevez le couvercle de l'huître en forçant un
peu. Enlevez minutieusement les petits éclats de
coquille, grattez la chair qui reste attachée au couvercle,
ajoutez-la dans l'huître ouverte.

153 Comment piler de la glace ?

- Mettez les glaçons dans un linge, refermez-le à une
extrémité en le tournant plusieurs fois sur lui-même.
Posez-le sur la table, tenez-le par le bout que vous avez
tourné et tapez sur la glace avec un marteau.

154 Comment nettoyer les moules ?

Jetez les moules trouées ou cassées et celles qui sont
entrouvertes et ne se referment pas quand vous les cho-
quez entre elles.
- Sous l'eau, brossez-les une par une avec une petite
brosse dure et grattez-les avec le plat d'un couteau.
Enlevez ensuite les algues qui restent accrochées.
Cuisez-les aussitôt pour préserver leur fraîcheur.

155 Comment ouvrir et cuire les moules ?

- Mettez les moules bien nettoyées dans un fait-tout à
feu vif, couvrez puis, au bout de 2 min, secouez le fait-
tout en tenant les anses et le couvercle ensemble. Laissez
cuire de nouveau 2 min et recommencez l'opération
pour que les moules du dessous viennent sur le dessus
et cuisent de façon identique. Les moules s'ouvrent en
quelques minutes.

Gardez l'eau rendue par les moules pour une sauce, un fumet ou un potage.

> **Bon à savoir : La recette des moules marinières.**
> **Mettez 1 noix de beurre à chanter dans un fait-tout. Faites-y revenir à feu doux 2 échalotes hachées. Dès qu'elles deviennent transparentes, versez 1 verre de vin blanc sec. Portez le jus à ébullition, puis jetez-y les moules bien nettoyées. Couvrez l'ustensile et laissez cuire quelques minutes. Les moules sont cuites quand elles sont ouvertes. Au moment de servir, parsemez-les de persil finement haché.**

156 **Comment voir si les coquillages sont bien vivants et frais ?**

– Ils doivent rester fermés ; s'ils baillent, touchez-les : ils doivent se refermer aussitôt. Si le coquillage sort légèrement de sa coquille et qu'une mousse se forme à l'ouverture, c'est signe que l'animal remue à l'intérieur, il est donc bien vivant et frais.

157 **Comment reconnaître la fraîcheur des langoustines ?**

– Comme pour les poissons, à leur absence d'odeur : la tête doit être bien attachée au corps et celui-ci ferme et non flasque.

Aucune langoustine n'est vendue vivante (en dehors de la vente sur les ports de pêche, bien sûr) ; elles sont présentées sur un lit de glace pilée.

 Comment reconnaître la fraîcheur des crevettes ?

- Vendues *vivantes*, elles doivent frétiller dans les caissettes où elles sont présentées.
- Vendues *cuites*, leur queue doit être bien repliée sous la tête. Quand elle ne l'est pas, c'est qu'elles ont été cuites après avoir rendu l'âme.

 Comment reconnaître la fraîcheur des crabes, araignées, tourteaux ?

- En les prenant par le dos. Si vous ne pouvez pas le faire, demandez à votre poissonnier de les saisir dans la main et regardez s'ils déplient leurs pattes avec vigueur. S'ils réagissent peu, ils ne sont pas loin de passer de vie à trépas.
- Quand ils sont déjà cuits par le poissonnier, prenez-les dans la main : ils doivent être lourds et ne dégager aucune odeur.

 Comment cuire des crabes, araignées, tourteaux s'ils ont perdu une patte ?

- Bouchez le trou avec de la mie de pain roulée en boule pour éviter que le crustacé ne se vide à la cuisson.

Comment ouvrir les coquilles Saint-Jacques ?

- Posez-les côté bombé sur une plaque électrique chaude, ou sur le feu dans une poêle à fond épais, jusqu'à ce qu'elles s'entrebâillent légèrement. Puis tenez la coquille dans un torchon, côté plat au-dessus et, avec la pointe d'un couteau, soulevez ses deux parties et coupez le muscle qui les retient entre elles.
- Glissez le couteau à plat sous la noix et le corail, enlevez la partie dure qui se trouve à la base de la noix et, avec des ciseaux, coupez les barbes qui entourent noix et corail. Retirez la pointe noire du corail.
- Plongez les noix et le corail dans une bassine remplie d'eau fraîche 15 min environ pour les faire dégorger et les débarrasser de leur sable.

 Comment découper les coquilles Saint-Jacques ?

- Vous pouvez laisser les noix entières ou les couper en deux dans le sens de l'épaisseur, ou encore les détailler en plusieurs petites escalopes très fines, pour les manger crues ou marinées.
Le corail se cuit entier mais ne se coupe pas.

> **Bon à savoir :** Pour cuire les langoustines, crevettes, araignées, crabes, tourteaux, inutile de préparer un court-bouillon, faites-les simplement cuire à l'eau de sel, c'est-à-dire de l'eau salée. Par litre d'eau, comptez 1 c. à soupe rase de gros sel. Faites toujours bouillir l'eau avant d'y plonger les fruits de mer.

Quel est le temps de cuisson des fruits de mer ?

Araignées, crabes, tourteaux
Plongés dans l'eau de sel à pleine ébullition : 10 min pour 1 livre, 15 min pour 1 kg.

Crevettes
Plongées dans l'eau de sel à pleine ébullition : retirez-les dès que l'eau bout à nouveau.

Langoustines
Plongées dans l'eau de sel à pleine ébullition : 6 à 8 min selon la quantité à cuire et leur grosseur.

Coquilles Saint-Jacques
Dans un court-bouillon frémissant : entières 3 min ; escalopées 1 à 2 min.
À la poêle : entières 2 min de chaque côté ; escalopées 1 min de chaque côté.

Homard ou langouste
Dans un court-bouillon à pleine ébullition : pour 500 g 8 à 10 min ; pour 1 kg : 12 à 15 min.
Grillés : par 1/2 homard ou langouste de 500 à 700 g 6 à 8 min côté chair, quelques secondes sur la carapace pour la faire rougir.

 Comment reconnaître une langouste d'un homard ?

- La langouste n'a pas de pinces mais de grandes antennes, pleines de piquants.
- Le homard a de longues antennes et de volumineuses pinces.

8
Le bœuf

165 Comment reconnaître la bonne qualité d'un morceau de bœuf ?

- À sa belle couleur rubis claire et non pas rouge foncé ou rouge brun ; à la couleur de la graisse qui l'entoure : du jaune pâle au jaune d'or (l'intensité du jaune dépend de la quantité d'herbes mangée par le bœuf).
Si la viande est sillonnée de filaments gras (ne confondez pas avec les nerfs, blancs eux aussi), c'est une viande persillée de premier choix.

166 Quelle quantité de bœuf faut-il compter par personne ?

1 steak ou 1 grillade : 150 g
1 rôti : 150 à 200 g
1 côte de bœuf avec os : 1,5 kg pour 4 personnes – 1 côte de bœuf pèse au minimum 1 kg
1 pot-au-feu : 250 g avec os, 200 g sans os
Le bœuf en sauce : 150 à 200 g

167 « Un bon steak », c'est dans quel morceau ?

Tout d'abord, apprenez à connaître les diverses catégories de biftecks que le boucher vous propose. Découvrez leur goût en les cuisinant à tour de rôle, puis faites votre choix.
- 1 steak qui a du goût mais aux fibres longues : la bavette, l'onglet, la hampe
- 1 morceau rare (un bœuf n'en fournit que 800 g à 1,5 kg) mais très tendre : la poire, l'araignée, le merlan, la surprise
- 1 morceau non dégraissé : le faux-filet (ou contre-filet), le rumsteck, l'entrecôte

- 1 morceau bien dégraissé : la tranche, la tranche grasse, la macreuse, le jumeau, le gîte à la noix, l'aiguillette
-1 morceau tendre et de premier choix : le filet

Comment cuire un bifteck sans qu'il devienne dur ?

Un bifteck se cuit toujours à la dernière minute juste avant de vous mettre à table.

Que ce soit à la poêle ou sur le gril, il doit toujours être saisi.

- Pour cela, il faut d'abord chauffer la poêle et la matière grasse, à feu vif. Mettez très peu de matière grasse dans la poêle pour éviter les projections de graisse : pour cuire 2 à 3 biftecks en même temps, 1 c. à café d'huile suffit ; n'utilisez pas de beurre car, porté à haute température, il noircit rapidement et devient toxique. Agitez la poêle de façon à bien étaler l'huile sur toute sa surface.

- Posez les biftecks quand la poêle est bien chaude. Ne les retournez pas en les piquant avec une fourchette, sinon le sang s'écoule : utilisez une spatule au manche coudé. Ne couvrez en aucun cas la poêle, c'est le meilleur moyen de les faire durcir.

- Jetez toujours la graisse de cuisson et remplacez-la par 1 noix de beurre frais. Après avoir éteint le feu, enlevez les biftecks, posez-les sur un plat chaud. Grattez les sucs caramélisés accrochés au fond de la poêle, mettez la noix de beurre frais dans la poêle encore chaude, laissez fondre le beurre sans la remettre sur le feu, nappez-le sur les biftecks. Salez d'1 pincée de sel fin et servez sans attendre.

À quoi correspondent les termes de cuisson d'un bifteck : bleu, saignant, à point ?

Bleu : grillé seulement en surface ; le cœur de la viande est d'un rouge bleuâtre car, le bifteck étant saisi rapidement, le sang reste à l'intérieur des fibres et n'a pas le temps de se répandre.
Selon l'épaisseur de la viande, comptez, à feu très vif, 50 s à 1 min de chaque côté.
Saignant : bien grillé en surface et un peu plus à l'intérieur ; le cœur est d'un beau rouge vif d'où le sang perle lorsque le bifteck est tranché au couteau.
Selon l'épaisseur de la viande, comptez, à feu très vif, 1 min 30 à 2 min de chaque côté, en retournant les biftecks deux fois pour éviter de trop les brûler.
À point : grillé en surface et entièrement cuit à l'intérieur sans que le sang perle ; pour cela, faites cuire les biftecks à feu moyen 2 min à 2 min 30 sur chaque face.

Salez et poivrez toujours les biftecks en fin de cuisson seulement.

 Quelles sont les sauces simples qui peuvent donner un air de fête à une simple grillade ou un bifteck ?

Confectionnez _un rouleau de beurre maître d'hôtel_
- Chauffez un bol en versant de l'eau bouillante dedans. Jetez l'eau et essuyez le bol.
- Écrasez avec une fourchette du beurre frais (comptez 10 à 15 g de beurre par personne, doublez ces proportions si vous voulez avoir du beurre maître d'hôtel en réserve), ajoutez le jus d'1/2 citron, 1 ou 2 c. à soupe de persil haché finement (le beurre doit devenir vert), 2 ou 3 pincées de sel fin, quelques tours du moulin à poivre. Mélangez bien le tout.

- Sur une planche, posez le beurre, donnez-lui la forme
d'un rouleau en le roulant avec le plat de la main.
Enveloppez le rouleau de beurre dans une feuille de
papier aluminium ou de film transparent. Mettez-le au
frais dans le réfrigérateur pour qu'il durcisse.
- Sortez-le puis détaillez-le en rondelles, épaisses
comme une pièce de monnaie, et posez-en une sur
chaque steck cuit.

Confectionnez _une sauce aux échalotes_ :
- Sur une planche, hachez finement des échalotes
(comptez-en une en moyenne par personne).
- Quand les steaks sont cuits, retirez-les de la poêle,
mettez-les sur un plat chaud, couvrez-les d'une feuille
de papier aluminium qui les maintiendra chauds le
temps de préparer la sauce. Jetez la graisse de cuisson.
- Remettez la poêle sur le feu, ajoutez 30 g de beurre
(pour 3 à 4 steaks), faites-le fondre à feu moyen en
grattant les particules caramélisées laissées par la
viande avec une cuillère en bois.
- Faites revenir les échalotes hachées jusqu'à ce qu'elles
prennent une belle couleur dorée, remuez-les deux ou
trois fois pour qu'elles dorent de tous côtés.
- Arrêtez le feu sous la poêle, ajoutez à nouveau 30 g
de beurre frais. Récupérez le jus qui s'est échappé des
steaks mis en attente, ajoutez-le au beurre et fouettez
vivement le beurre frais dans les échalotes et le jus de
viande avec la cuillère. Vous obtiendrez une sauce onctueuse.
- Nappez chaque steak avec environ 1 c. à soupe de
sauce.

171 Comment griller un rôti de bœuf sur les bords pour qu'il reste tendre en son centre ?

- Placez le rôti sur une grille posée dans un plat de cuisson et non pas directement sur le fond du plat, pour éviter qu'il baigne dans son jus et ramollisse.
- Préchauffez le four (thermostat 7 ou 8) et ne mettez le rôti à cuire que lorsque le four est très chaud pour que la chaleur vive puisse saisir immédiatement la couche extérieure. Diminuez l'intensité du four (thermostat 6 ou 7) au bout de 10 min.
Vous pouvez badigeonner légèrement le rôti avec un pinceau trempé dans l'huile. Si vous utilisez du beurre, ajoutez-le à mi-cuisson car il se décompose rapidement, brûle et devient toxique.
- Retournez le rôti à mi-cuisson, sans utiliser les pointes d'une fourchette pour que le sang ne s'écoule pas. Arrosez-le plusieurs fois si c'est une grosse pièce, non pas avec le jus mais avec la graisse qui surnage au-dessus.
- Dès que le rôti est cuit, posez-le sur un plat chaud, couvrez-le d'une feuille de papier aluminium pour le maintenir chaud.

172 Comment obtenir un bon jus de rôti de bœuf ?

- Enlevez le rôti du plat. Gardez-le au chaud en le couvrant d'une feuille de papier aluminium.
- Avec une cuillère à soupe, retirez la graisse qui surnage au-dessus du jus. Ajoutez une tasse d'eau très chaude (comptez le double d'eau chaude du volume de jus que vous voulez obtenir). Avec une cuillère en bois, décollez les particules caramélisées attachées au fond du plat et remuez pour les dissoudre dans l'eau chaude.
- Posez le plat sur le feu et laissez réduire le jus de moitié pour qu'il ait plus de goût.

- Retirez de nouveau le plat du feu et ajoutez quelques noisettes de beurre frais, fouettez-les vivement pour obtenir une sauce onctueuse.

Si vous ne pouvez mettre le plat de cuisson sur le feu, versez le jus dans une petite casserole et laissez-le réduire de moitié.

173 **À quel moment saler le rôti de bœuf ?**

- À mi-cuisson, lorsqu'il a déjà été saisi. En effet, le sel mis sur la viande crue produit de l'humidité et l'empêcherait de bien rissoler, nuisant ainsi à la bonne conduite de cuisson.
- Salez et poivrez légèrement chaque tranche de rôti découpé.

> **Bon à savoir : Pour servir un rôti de bœuf gonflé et moelleux, enlevez rapidement toutes les ficelles avec des ciseaux en fin de cuisson et laissez-le reposer au minimum 10 min avant de le découper. Grâce à ce temps de repos, le sang contenu dans le rôti se répandra dans les fibres de la viande, lui donnant une couleur uniformément rosée et toute la tendreté souhaitée.**

 174 **Quel est le temps de cuisson d'un rôti de bœuf ?**

Demandez toujours conseil à votre boucher pour le temps de cuisson. Celui-ci varie avec le poids, la catégorie de la viande et la forme du rôti.

- Pour 1 rôti d'1 kg, le temps est proportionnellement plus long : 15 min par livre.
- Pour 1 rôti dépassant 1 kg : 10 à 12 min par livre.
- Sortez le rôti du réfrigérateur 30 min avant de le cuire et n'oubliez pas le temps de préchauffage du four (thermostat 7 ou 8 selon le type de four).

 Quels morceaux de bœuf choisir pour un pot-au-feu ?

Pour servir un pot-au-feu qui ait bon goût, mélangez deux ou trois sortes de viande à pot-au-feu, à votre choix : plates côtes, gîte-gîte, macreuse, paleron, poitrine, tendron, bavette à pot-au-feu, collier, queue. Demandez en plus 1 ou 2 os à moelle à votre boucher.

 Faut-il mettre à cuire le pot-au-feu à l'eau froide ou chaude ? Comment le cuire ?

À vous de choisir, les deux formules sont possibles.
- Le départ _à l'eau froide_ permet aux viandes de libérer doucement tous leurs sucs : vous obtiendrez un bouillon délicieux mais des viandes plus fades.
- _À l'eau chaude_, les viandes seront saisies, garderont leurs sucs, mais ceci aux dépens du bouillon qui sera fade (ajoutez alors, pendant la cuisson, 1 ou 2 cubes de bouillon de bœuf en tablette).

La cuisson
- Démarrez la cuisson des viandes avec 1 bouquet garni, 1 oignon piqué de 2 clous de girofle, 1 carotte entière. Mettez à cuire l'os à moelle à part dans une casserole avec un peu de bouillon du pot-au-feu.
- Avant de couvrir la casserole ou l'autocuiseur, enlevez l'écume au fur et à mesure qu'elle monte à la sur-

face – les viandes mises à bouillir dégagent une première écume sale. Retirez-la avec une louche pour bien débarrasser le bouillon de toutes les matières en suspension. Écumez plusieurs fois, jusqu'à ce que la dernière écume soit blanche. Ajoutez 1 ou 2 verres d'eau en proportion du liquide que vous avez ôté en écumant.

- Salez l'eau seulement après écumage. Comptez 1 l d'eau par livre de viande et 7 g de sel par litre d'eau.

 Faut-il mettre à cuire les légumes en même temps que les viandes du pot-au-feu ?

- Non, les viandes d'un pot-au-feu demandent deux fois plus de temps pour cuire que les légumes. Ajoutez ceux-ci à mi-cuisson.

N'oubliez pas de ficeler ensemble les poireaux pour éviter qu'ils se dispersent dans le bouillon. Enlevez la ficelle avant de présenter le plat à table.

 Quel est le temps de cuisson d'un pot-au-feu ?

- 3 h à feu moyen dans un fait-tout. La surface de l'eau doit frémir mais non bouillir à gros bouillons pour éviter de racornir les viandes.

- 1 h en autocuiseur.

 Comment conserver les restes d'un pot-au-feu sans qu'ils prennent un goût aigre ?

- Ne remettez pas les légumes et les viandes qui restent dans le bouillon. Gardez-les séparément au frais dans le réfrigérateur. Couvrez chaque récipient de papier aluminium ou d'une feuille de papier étirable transparent.

- Pour mieux conserver le bouillon, passez-le au travers d'une passoire garnie d'un linge fin : vous éliminerez ainsi tous les petits déchets en suspension.

180 **Comment cuire un os à moelle sans que la moelle s'égare dans le bouillon du pot-au-feu ?**

- Sur chaque extrémité de l'os, posez 2 grosses rondelles de carotte crue. Ficelez le tout solidement ensemble, ou bien frottez la moelle avec du gros sel aux deux extrémités de l'os.
- Mettez l'os à moelle à cuire séparément dans une casserole en versant par-dessus quelques louches de bouillon. Couvrez la casserole. Mis avec la viande, il graisserait le bouillon du pot-au-feu.

181 **Comment dégraisser le bouillon du pot-au-feu ?**

- Posez quelques secondes sur la surface du bouillon plusieurs épaisseurs de papier absorbant. Ôtez-les avec une écumoire. Répétez plusieurs fois cette opération si le bouillon est très gras.
Autre méthode :
- Passez le bouillon au travers d'une passoire garnie d'un linge glacé. Pour glacer le linge, placez-le légèrement mouillé dans le freezer (sortez-le sans attendre qu'il soit trop rigide). Les particules de graisse contenues dans le bouillon gèleront immédiatement au contact du froid.
- Réchauffez le bouillon passé pour le servir bien chaud.
- Si vous ne servez pas le bouillon en même temps que les viandes et légumes, laissez-le refroidir puis enlevez

à la cuillère la croûte blanchâtre formée par la graisse refroidie.

 Quel morceau de bœuf acheter pour cuire le bœuf en daube, le bœuf bourguignon, le bœuf mode ?

- Pointe de culotte, joue, tranche, gîte, paleron, macreuse, jumeau.
On appelle ces morceaux *bas morceaux* car ils sont pris dans les parties basses de l'animal (exceptée la joue), et non parce qu'ils sont de basse qualité.
Demandez à votre boucher de détailler la viande en morceaux de 60 à 80 g chacun. Il faut compter 2 à 3 morceaux par personne pour un bœuf en sauce car, pour être moelleux, ils nécessitent une longue et lente cuisson et, de ce fait, réduisent beaucoup en cuisant. Selon la recette et la catégorie des morceaux choisis, comptez un minimum de 3 h 30 en cocotte sur feu doux en laissant mijoter la sauce, ou 1 h 30 en autocuiseur.

9
Le veau

**Comment reconnaître la bonne qualité
d'un morceau de veau ?**

Il existe deux sortes de viande de veau vendues dans les
boucheries.
- *Celle de qualité supérieure*, provenant du veau uniquement nourri au lait de sa mère, est d'une belle couleur
blanc rosé très pâle, et sa graisse est nettement blanche.
Une plaque accrochée chez le boucher certifie sa prove-
nance et son élevage et vous indique que le veau est
nourri au lait.
- *Celles de deuxième et troisième qualité*, provenant de
veau nourri industriellement, a une chair variant du
rose au rose foncé ; plus le rose est foncé, plus la viande
sera sèche.

 **Quelle quantité de veau compter
par personne ?**

Pour 1 escalope : environ 130 g.
Pour 1 côtelette avec os : 150 g.
Pour 1 rôti : 150 à 200 g.
Pour le veau en sauce : 200 g sans os, 250 g avec os.

 **Pourquoi les escalopes de veau, à la cuisson,
se recroquevillent-elles souvent ?**

- Elles gondolent dans la poêle si l'on ne coupe pas la
fine peau transparente qui les entoure toujours.
Demandez à votre boucher de le faire. Sinon, avant
cuisson, posez l'escalope à plat sur une planche,
entaillez tout le tour sur quelques millimètres avec la
pointe d'un couteau.

186 Pourquoi faut-il aplatir une escalope ?

- Parce que la rapidité est une des conditions de sa cuisson : moins elle est épaisse, plus la cuisson est rapide. L'aplatir rompt les fibres de la viande, qui ainsi sera plus tendre.

187 Comment aplatir une escalope ?

- Posez l'escalope sur une feuille de papier aluminium et aplatissez-la avec le rouleau à pâtisserie.

188 Quelle matière grasse utiliser pour cuire des escalopes à la poêle ?

- Un mélange de beurre et d'huile : 10 g de beurre et une 1/2 c. à café d'huile par personne.
Pour une bonne cuisson, faites-les toujours saisir à feu vif en début de cuisson pour éviter que les sucs sortent de la viande et se répandent dans la poêle : les escalopes seront plus tendres.

189 Comment cuire des escalopes à la poêle ?

- Faites chauffer à feu vif le mélange beurre et huile ; agitez la poêle pour que la matière grasse s'étende sur toute sa surface. Posez les escalopes, faites-les saisir 1 min de chaque côté. Baissez le feu puis, à feu moyen.
- *Si elles sont minces*, laissez-les cuire à nouveau 2 min de chaque côté : elles seront bien saisies des deux côtés et légèrement dorées.
- *Si elles sont un peu épaisses*, baissez un peu le feu sous la poêle et laissez-les cuire encore 2 ou 3 min de chaque côté.

Comment paner une escalope ?

Prenez deux assiettes creuses :
- dans l'une, battez 1 œuf entier avec 1 c. à café d'huile,
- dans l'autre, étalez de la chapelure.
- Salez l'escalope avec un peu de sel fin. Trempez-la dans l'œuf battu en la retournant plusieurs fois, puis posez-la sur la chapelure. Saupoudrez-en le dessus de l'escalope puis tournez-la.
- Posez ensuite l'escalope panée sur une planche et appuyez avec le plat d'une lame de couteau sur la chapelure pour la faire adhérer.

> **Bon à savoir :** Pour que l'œuf tienne à l'escalope, celle-ci doit être bien sèche. Tournez-la dans de la farine, puis secouez-la vivement pour en enlever l'excédent.

 Comment empêcher la chapelure d'une escalope panée de se répandre dans la poêle à la cuisson ?

- Il suffit de préparer l'escalope panée quelques heures d'avance. Gardez-la au frais dans le réfrigérateur, posée à plat sur une assiette recouverte d'un linge. Sortez-la 30 min avant de la cuire.

192 **Quel est le temps de cuisson d'une escalope panée ?**

Selon l'épaisseur, environ 7 à 8 min en tout. D'abord à feu vif, 1 min de chaque côté, puis à feu moyen, 5 à 6 min.

193 Comment cuire des escalopes panées croustillantes ?

- À feu vif, faites chauffer dans la poêle un mélange de beurre et d'huile, posez les escalopes dans la graisse suffisamment chaude pour bien les saisir, de chaque côté. Baissez le feu et laissez-les cuire doucement.
- Jetez le beurre de cuisson et faites fondre dans la poêle du beurre frais jusqu'à ce qu'il prenne une belle couleur noisette. Arrosez-en les escalopes et servez-les accompagnées de quartiers de citron.

194 Comment attendrir une escalope ?

- Arrosez-la encore crue de jus de citron des deux côtés. Laissez macérer 1 h. Retournez-la une ou deux fois. Essuyez-la soigneusement sur du papier absorbant avant de la cuire.

195 Quel morceau de veau acheter pour un rôti ?

- Vous avez le choix entre la noix, la sous-noix, la noix pâtissière, l'épaule, le quasi et la longe.
Découvrez chaque morceau, vous choisirez ensuite selon votre goût. Un rôti de veau dans la noix pâtissière est le plus tendre et le plus savoureux qui soit. Demandez à votre boucher s'il faut cuire le rôti à la cocotte ou au four car, selon le morceau choisi, il sera plus tendre en cocotte qu'au four ou vice versa.

Comment cuire un rôti de veau tendre et doré à point ?

- Choisissez une cocotte de dimension juste suffisante pour contenir le rôti. Versez 1 c. à café d'huile dans le creux de la main et enduisez-en entièrement le rôti.
- Allumez le feu sous la cocotte, posez le rôti et, à feu vif, faites-le saisir sur toutes ses faces, sans couvrir la cocotte, jusqu'à ce qu'il se forme une belle croûte dorée. Réduisez le feu et continuez la cuisson à feu doux. Ajoutez 1 ou 2 c. à soupe d'huile et 40 g de beurre frais (pour 1 rôti d'environ 1 kg). Couvrez. Tournez le rôti plusieurs fois pendant la cuisson pour qu'il cuise uniformément et ne brûle pas sur un côté. Ajoutez du beurre frais s'il n'y a pas assez de jus.
- Après avoir saisi le rôti, vous pouvez ajouter au fond de la cocotte 1 tomate coupée en deux, 1 ou 2 gousses d'ail non épluchées, 2 échalotes entières épluchées et 1 bouquet garni : vous obtiendrez ainsi un jus plus abondant et savoureux.
- Salez le rôti après l'avoir saisi dans l'huile de tous côtés.

 Quel est le temps de cuisson du rôti de veau ?

- En cocotte, à feu doux : 30 à 35 min par livre.
- Dans un four préchauffé (thermostat 7 ou 8) : 15 à 20 min. Baissez l'intensité de chaleur du four après 15 min de cuisson.

 Comment obtenir un bon jus de rôti de veau ?

- Jetez le beurre de cuisson, gardez dans le fond de la cocotte les divers assaisonnements (échalotes, ail,

tomates). Enlevez le rôti, gardez-le au chaud en le couvrant d'une feuille de papier aluminium.
- Ajoutez une bonne tasse d'eau chaude dans la cocotte et grattez avec une cuillère en bois les sucs caramélisés accrochés au fond.
- Remettez la cocotte sur le feu, laissez réduire le jus de moitié et passez-le au travers d'une passoire fine en le foulant avec le plat d'une cuillère en bois pour recueillir les sucs contenus dans les aromates.
- Ajoutez 1 noix de beurre frais, vous obtiendrez un jus plus savoureux, mais ne faites plus bouillir la sauce.

 Quels morceaux de veau acheter pour une blanquette ou du veau en sauce ?

- Mélangez plusieurs morceaux différents. Demandez à votre boucher de détailler les morceaux en cubes de 60 à 80 g chacun.
Avec os : du tendron, du jarret, des hauts de côtes.
Sans os : de l'épaule.

 Quel est le temps de cuisson d'une blanquette ou de veau en sauce ?

Pour une blanquette de 6 à 8 personnes :
- avec du veau de lait, plus tendre, 1 h en cocotte ;
- avec du veau de deuxième et troisième catégorie, 1 h 30 à 2 h.

10
L'agneau

201 Comment reconnaître la bonne qualité d'un morceau d'agneau ?

- *La qualité supérieure* se reconnaît à la couleur de sa chair : de rose ou rouge très vif à rose ou rouge foncé, et à la graisse, blanc rosé et ferme.
- *La qualité inférieure*, à la chair rouge très pâle ou rouge-brun ou brique, et à la graisse, friable ou huileuse, de couleur jaunâtre.

202 Quelle est en boucherie la différence entre l'agneau et le mouton ?

L'agneau s'appelle mouton dès qu'il dépasse l'âge de 14 mois. Un agneau de lait, vendu en général vers Pâques, est âgé d'environ 5 semaines.

203 Quelle quantité d'agneau compter par personne ?

Pour la côtelette : environ 120 g avec os.
Pour les pièces rôties, le gigot, l'épaule, la selle, le carré : 200 g avec os, 150 g sans os.
Pour le mouton en sauce, ragoût, navarin, sautés : 200 g.

204 Comment choisir un bon gigot d'agneau ?

- Selon la couleur de sa chair et sa forme : le gigot doit être rond, court et trapu ; allongé, il proviendrait d'un mouton plus très jeune.

205 **Quelles côtelettes acheter ?**

Il existe trois sortes de côtelettes.
- *Les côtelettes premières* sont plus fines car elles n'ont pas de gras.
- *les côtelettes secondes* et *les côtelettes découvertes* sont plus grasses ; elles conservent dans leur chair leur couverture de graisse.
1 mutton-chop désigne une double côtelette, soit une tranche coupée dans les filets non séparés du mouton.

206 **Comment cuire un gigot ?**

- Posez-le dans un plat à sa taille – si le plat est trop large, la matière grasse brûlera au fond car elle s'étalera trop à la cuisson.
- Ne mettez le gigot à cuire qu'à four très chaud (thermostat 7 ou 8). Baissez l'intensité du four à mi-cuisson, lorsque la croûte extérieure du gigot est bien saisie. Enduisez le gigot de beurre, salez.
- Arrosez plusieurs fois avec la graisse qui surnage au-dessus du jus. Arroser souvent la viande vous permet de surveiller le beurre de cuisson et de vérifier qu'il garde une belle couleur caramel. S'il commence à brunir, ajoutez 1 ou 2 c. à café d'eau froide et un peu de beurre frais.

207 **Quel est le temps de cuisson d'un gigot d'agneau ?**

Dans un four préchauffé, thermostat 7 ou 8, 15 à 20 min.
- 10 min par livre pour 1 gigot très saignant, bleu et chaud à cœur.

- 12 min pour 1 gigot saignant.
Soit, pour 1 gigot d'1,8 kg, 35 à 45 min.

 Peut-on découper un gigot tout de suite après l'avoir sorti du four ?

Surtout pas, car vous obtiendriez à la coupe une couche extérieure très cuite, une autre moins cuite et la dernière « bleue ».
- Pour rétablir un bon équilibre de cuisson à l'intérieur du gigot et le servir saignant, il faut le laisser reposer au minimum 20 min avant de le découper en tranches. Il est même préférable de le cuire avant que vos invités arrivent et de le découper à table. On peut très bien servir un gigot tiède accompagné de sa sauce bien chaude : il sera alors plus tendre car, pendant le repos, les chairs qui ont été contractées par la chaleur vont se relâcher et se détendre.
- Dès que le gigot est cuit, sortez-le du four, laissez-le dans son plat de cuisson brûlant, puis enveloppez-le d'une feuille d'aluminium. Chauffez un plat de service, en le laissant tremper 10 min dans de l'eau très chaude ou, s'il le supporte, dans le four encore chaud mais éteint, porte fermée.
Servez toujours le gigot sur des assiettes chaudes pour éviter que le jus ne se fige.

 Comment servir le jus de cuisson du gigot ?

Tel quel, sans le dégraisser.
- Chauffez une saucière en laissant pendant 5 min de l'eau bouillante dedans. Videz l'eau, essuyez la saucière.
- Ajoutez une petite tasse d'eau chaude dans le plat de cuisson, posez le plat sur le feu, grattez les sucs cara-

mélisés avec une cuillère en bois et laissez réduire le jus de moitié.
- Versez le jus bouillant dans la saucière préalablement chauffée.
Si le gigot a rendu beaucoup de graisse en cuisant, enlevez celle qui surnage au-dessus du jus.

210 **Comment découper un gigot** ?

Il existe deux façons de le faire :
- **à l'anglaise**, en tranches perpendiculaires à l'os ;
- **à la française**, en tranches larges et minces, parallèles au manche :
- soulevez-le par le manche, tournez-le de façon à avoir la partie la plus bombée devant vous et, en tenant fermement le manche d'une main, avec un long couteau bien aiguisé, commencez de l'autre à découper le côté bombé en tranches minces, presque parallèles à l'os. Tranchez toujours du haut vers le bas.
- Retournez le gigot, découpez l'autre côté en tranches minces, en dirigeant la lame du couteau en biais vers l'os. Glissez la lame vers le manche du gigot, le plus près possible de l'os, pour détacher la souris, petit morceau savoureux très convoité.

211 **Comment piquer un gigot d'ail** ?

- Épluchez 1 ou 2 gousses, coupez-les en quatre. N'enfoncez pas la lame du couteau dans la chair du gigot qui perdrait alors son sang en cuisant. Glissez les gousses d'ail entre la souris et le manche du gigot, puis dans les parties ouvertes : os du quasi enlevé par le boucher.
Pour éviter de piquer le gigot d'ail que tout le monde n'aime pas, jetez 4 ou 5 gousses non épluchées dans le plat de cuisson autour du gigot cru.

212 **Quels morceaux d'agneau acheter pour un plat en sauce (ragoût, navarin) ?**

- L'épaule, avec ou sans os, la poitrine, le haut de côte-lette. Selon la qualité de la viande, il est parfois nécessaire d'enlever l'excès de graisse avant la cuisson.

213 **Quel est le temps de cuisson de l'agneau en sauce ?**

- *Pour l'agneau de lait*, selon la recette, de 1 h à 1 h 30, à feu moyen.
- *Pour l'agneau de deuxième et troisième catégorie*, de 1 h 30 à 2 h, à feu moyen.

11
Le porc

214 Comment reconnaître la bonne qualité d'un morceau de porc ?

- L'élevage industriel du porc fournit une viande de qualité standardisée. La couleur de sa chair est rose vif et la graisse est blanche.

215 Quelle quantité de porc compter par personne ?

Pour 1 côtelette : 150 g avec os, 120 g sans os.
Pour 1 rôti : 200 g avec os, 150 g sans os.
Pour les fricassées et *les sautés* : 200 g.

216 Comment utiliser le porc demi-sel ?

- Avant de le cuisiner, quel que soit le morceau choisi, il faut le plonger au préalable dans une casserole remplie d'eau froide et amener à feu doux à ébullition. Retirez-le dès que l'eau bout. Il perdra ainsi une partie de son sel.
Utilisez le porc demi-sel pour les potées, la choucroute.

217 Quels morceaux acheter pour un rôti ?

- Avec ou sans os : le carré, l'échine, l'épaule, la palette, la pointe.
Vous pouvez le faire désosser par le charcutier et lui demander de vous donner l'os pour l'ajouter à la cuisson, vous obtiendrez ainsi davantage de jus.

Quel est le temps de cuisson d'un rôti de porc ?

- À la cocotte ou dans un four préchauffé thermostat 7 ou 8, 30 min par livre.
Le porc ne se sert pas rosé mais à point. Aucun jus rose ou incolore ne doit s'en écouler lorsqu'on le tranche au couteau.

> **Bon à savoir : Le porc cuit est délicieux froid. Achetez-en donc plus qu'il ne vous en faut pour un repas. Le reste d'un rôti de porc constitue aussi la meilleure base d'une farce.**

219 Quel est le temps de cuisson des côtelettes de porc ?

- Selon l'épaisseur, 1 min de chaque côté, à feu vif pour garder les sucs à l'intérieur de la viande ; puis à feu moyen, 4 à 5 min de chaque côté en les retournant deux fois.
- Si l'épaisseur dépasse 2 cm, faites-les cuire au four comme pour un rôti en comptant 15 min par livre. Elles cuiront mieux et seront plus tendres. Arrosez-les pendant leur cuisson avec la graisse qui surnage au-dessus du jus.

Bon à savoir : Un jus délicieux. Après avoir cuit les côtes de porc, retirez-les de la poêle en laissant celle-ci sur le feu. Versez-y 1 c. à soupe de vinaigre, 3 c. à soupe de vin blanc. Portez ce jus à ébullition en grattant les sucs caramélisés accrochés à la poêle. Laissez bouillir le jus quelques minutes pour le faire réduire et fouettez-y quelques noisettes de beurre frais. Vous pouvez ajouter à cette sauce des cornichons coupés en fines rondelles et du persil.

12
Divers

Comment chauffer des tranches de jambon sans qu'elles s'assèchent et racornissent ?

- Roulez les tranches pour qu'elles tiennent dans la poêle.
- Faites fondre dans une poêle 15 à 20 g de beurre ; dès qu'il est fondu, posez les tranches de jambon roulé, laissez-les cuire sur feu moyen 1 min de chaque côté. Servez-les aussitôt.
- Si vous voulez les servir à la crème, retirez-les de la poêle, gardez-les au chaud en les couvrant d'une feuille de papier aluminium. Laissez réduire la crème, ajoutez les tranches de jambon quand la sauce est bien chaude.

> **Bon à savoir : Pour cuire des saucisses ou des boudins sans qu'ils éclatent, ne les piquez pas avec les dents d'une fourchette qui, trop rapprochées, feraient éclater la peau. Piquez-les plutôt par endroits avec la pointe d'un couteau.**

221 Comment empêcher les viandes braisées d'attacher au fond de la cocotte ?

Les viandes braisées nécessitent un temps de cuisson assez long.
- Avant d'installer les morceaux de viande, étalez sur le fond de la cocotte de la couenne de porc, côté gras sur le fond.
- Pour une meilleure cuisson, faites revenir dans une poêle, avec un peu de matière grasse, les morceaux de viande jusqu'à ce qu'ils se colorent, puis installez-les dans la cocotte. Jetez leur graisse de cuisson et récupérez les sucs caramélisés en ajoutant 2 c. à soupe d'eau

très chaude, puis grattez-les et ajoutez-les dans la cocotte.

222 Comment préparer les rognons ?

- **Les rognons de veau** : ce sont les meilleurs car ils sont très tendres. Enlevez la graisse qui les entoure, coupez-les en deux et retirez la partie blanche qui se trouve dans le creux, au milieu du rognon.
- **Les rognons de bœuf** : ils dégagent souvent une légère odeur d'ammoniaque, il faut donc, après les avoir débarrassés de leur pellicule et de leur graisse, les plonger pendant 1 s dans de l'eau bouillante non salée. Égouttez-les et épongez-les avant de les cuire. N'utilisez pas comme sauce le jus rendu par la cuisson, qui conserverait encore l'odeur d'ammoniaque. Jetez-le. Remplacez-le par 1 noix de beurre frais ou une sauce de votre choix.
- **Les rognons de porc** : retirez la pellicule transparente qui les entoure pour éviter qu'ils racornissent à la cuisson. Avec la pointe d'un couteau, incisez cette pellicule puis enlevez-la en tirant dessus avec le plat du couteau. Partagez-les en deux, enlevez la graisse blanche au milieu du rognon.

> **Bon à savoir** : Pour rendre les rognons de porc plus savoureux, laissez-les tremper 2 à 3 h dans du lait froid. Gardez-les au frais au réfrigérateur. Avant de les cuire, épongez-les soigneusement avec du papier absorbant.

223 Comment cuire les rognons à la poêle sans qu'ils durcissent et se racornissent ?

- Il faut les faire saisir très vite à feu vif dans une poêle, avec un mélange de beurre et d'huile très chaud, sans leur laisser le temps de bouillir dans le jus qu'ils vont rendre en cuisant.
- Pour les servir avec une sauce (au madère, par exemple), faites-les saisir dans la poêle. Gardez-les au chaud entre deux assiettes creuses. Faites bouillir la sauce dans une casserole, ajoutez le jus rendu par les rognons (sauf celui des rognons de bœuf), retirez la sauce bouillante du feu, mettez les rognons dans la sauce, mélangez-les soigneusement pour qu'ils s'en imprègnent bien. Remettez la casserole sur feu doux, couvrez-la et faites chauffer 5 min sans laisser bouillir la sauce.

224 Comment enlever les nerfs et les veines d'un foie gras frais cru ?

- Un foie gras frais cru, très fragile, voyage toujours sur un lit de glace pilée, il faut donc, avant de le dénerver, le mettre à tremper au moins 1 h dans une bassine d'eau légèrement tiède pour qu'il retrouve sa consistance naturellement un peu molle.
Un foie gras est composé de deux lobes, un petit et un grand :
- séparez-les à la main en les écartant délicatement. Posez le côté lisse sur une planche, grattez avec le plat d'un couteau toutes les traces vertes laissées par la poche de fiel ;
- ouvrez chaque lobe en deux mais seulement sur la moitié de son épaisseur ; écartez bien cette ouverture pour voir le réseau de veines. Enlevez-les en passant sous elles le plat d'un petit couteau et tirez celui-ci vers

vous en l'arrachant avec précaution. Le gros lobe a deux grandes veines et le petit lobe une seule.
Si une veine éclate, épongez délicatement le foie avec un linge de cuisine ou du papier absorbant.

 Est-il normal qu'un foie gras frais cru réduise à la cuisson ?

- Oui, car il perd sa graisse qui fond en cuisant. Comptez un minimum de perte de 20 % si le foie gras est de bonne qualité.

 Combien de temps peut-on garder un foie gras frais une fois cuit en terrine ?

- Pas plus de 8 à 10 jours au réfrigérateur.

 À quel moment sortir le foie gras du réfrigérateur avant de le servir ?

- 5 min avant de passer à table pour pouvoir le couper facilement et le servir frais.

 Avec quel pain servir le foie gras ?

- Celui qui l'accompagne le mieux est le pain de campagne grillé, découpé en tranches fines : grillez-le au fur et à mesure et servez-le bien chaud, à l'intérieur d'une serviette blanche pliée en quatre.

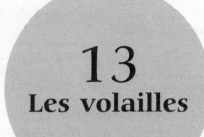

13
Les volailles

229 Comment découper un poulet cuit ?

- Soulevez le poulet en glissant dessous une cuillère en bois pour faire écouler le jus de cuisson se trouvant à l'intérieur.
- Enlevez-le de son plat de cuisson et installez-le pour le découper sur une planche en bois. Posez-le à plat sur le dos, maintenez-le de la main gauche en plantant une longue fourchette à découper dans la partie la plus charnue des ailes. Avec le plat du couteau, écartez les cuisses, coupez la peau qui les relie au dos, détachez les cuisses de l'articulation sans oublier le « sot-l'y-laisse » (petit bout de chair de poulet fondante et parfumée, adhérant à la carcasse). Vous pouvez couper chaque cuisse en deux à l'articulation ou les laisser entières. Détachez les ailes en longeant avec la lame du couteau l'os du ventre jusqu'au croupion. Laissez l'aile entière ou coupez-la en deux, une moitié avec le filet (blanc), l'autre avec une partie du blanc et les articulations de l'aile.

230 Quel est le temps de cuisson du poulet ?

Rôti, *entier*, au four, thermostat 6 ou 7 ; environ 1 h en cocotte à feu doux, en le retournant deux ou trois fois.
Découpé en morceaux : environ 30 à 40 min, selon la grosseur des morceaux et la façon de le faire braiser, au four ou en cocotte.

> **Bon à savoir : Pour savoir si le poulet est cuit, enfoncez la lame d'un couteau dans la chair, à l'articulation de la cuisse – si le jus qui s'écoule est rose, il n'est pas assez cuit ; si le jus est incolore, il est bien cuit.**

231 Comment cuisiner un poulet sans le rater ?

Cuisez-le au gros sel. Cette recette est magique pour les débutants car très facile à réaliser, même si le temps de cuisson paraît long. Le résultat est surprenant : vous obtiendrez un poulet fondant, à la peau craquante, et cuit sans matière grasse. Utilisez une cocotte ovale qui ait la forme de l'animal.

- Pour donner plus de parfum au poulet, garnissez son ventre d'1 bouquet entier d'estragon ou de quartiers de citron frais, ou de rondelles de citron confit.

- Tapissez le fond d'une cocotte avec 1 kg de gros sel, installez le poulet cru, vidé et bridé. Mettez par-dessus 2 kg de gros sel, pressez le sel pour bien le tasser autour du poulet.

- Dès que le four est assez chaud (thermostat 6 ou 7), enfournez le poulet, couvrez la cocotte. Laissez cuire 1 h 30.

- Sortez la cocotte du four. Cassez la croûte, retirez le poulet en glissant dessous une cuillère en bois plate. Posez-le sur une planche et découpez-le.

232 Quel est le temps de cuisson d'une poule au pot ?

- Pour une poule d'environ 2 kg, au minimum 2 h, sur feu doux, en maintenant le bouillon frémissant durant toute la durée de cuisson.

233 Faut-il cuire la poule au pot à l'eau froide ou chaude ?

- Il est préférable de démarrer la cuisson à l'eau froide pour enlever l'écume à la louche et obtenir un bouillon propre et clair. Si vous trouvez que le bouillon n'a pas assez de parfum, ajoutez 1 ou 2 cubes de bouillon de volaille en tablettes.

- Faites cuire la poule 1 h avec des aromates, 1 oignon piqué de 2 clous de girofle, 1 bouquet garni, puis ajoutez les légumes, carottes, poireaux, navets, céleri…, 1 h avant la fin de la cuisson.

234 Quel est le temps de cuisson d'une pintade ?

- À feu doux, *rôtie à la cocotte*, entourée d'une barde de lard pour éviter qu'elle soit trop sèche, en la retournant deux ou trois fois pendant la cuisson : 45 min.
- Découpée *en morceaux*, cuite *en sauce* ou *rôtie en cocotte* à feu doux : environ 35 min.

> **Bon à savoir : Pour servir une pintade moelleuse, garnissez l'intérieur de 2 petits suisses préalablement écrasés à la fourchette, assaisonnés de sel fin, de poivre et de noix muscade râpée.**

235 Comment découper un canard ?

- Soulevez-le dans son plat de cuisson pour faire écouler le jus de cuisson se trouvant à l'intérieur.
- Posez-le sur le dos, à plat sur une planche, le croupion tourné vers vous. Commencez par détacher les cuisses en incisant la peau et la chair d'un seul trait puis, avec la pointe d'un couteau, dégagez la jointure des os. Laissez chaque cuisse entière.
- Prélevez les 2 filets en pratiquant une incision dans la chair tout le long de la cage thoracique, de la tête jus-

qu'au croupion. Glissez la lame du couteau sous les filets pour les détacher de la carcasse.
- Posez les filets à plat sur la planche et découpez-les en fines aiguillettes dans le sens de la largeur en les coupant en biais.

236 Quel est le temps de cuisson d'un canard ?

- *Selon sa grosseur*, au four thermostat 6 ou 7, ou en cocotte sur feu doux : environ 40 min à 1 h.
- Découpé *en morceaux*, en cocotte sur feu doux : 30 min.

237 Comment savoir si le canard est cuit ?

- Enfoncez la pointe d'un couteau à l'articulation de la cuisse : le jus qui s'écoule doit être rosé.
Le canard est plus savoureux et tendre lorsqu'il est servi rose.

238 Qu'est-ce qu'un magret ?

- Le filet d'un canard spécialement engraissé pour le foie gras. Il se vend avec la peau recouverte d'une épaisse couche de gras.

239 Comment cuire le magret ?

- Avec un couteau, quadrillez l'épaisseur de gras avant de le mettre à cuire.
- Mettez-le dans une poêle, côté peau quadrillée sur le fond, faites-le cuire sans matière grasse, il y en a suffisamment dans la peau. Laissez-le dorer à feu doux

10 min. La graisse du canard va fondre et se répandre doucement dans la poêle. Retournez le magret et laissez-le cuire encore 5 à 8 min selon que vous l'aimez saignant ou bien cuit. Le magret est plus savoureux servi rose.
- Gardez-le au chaud 5 min sous une feuille de papier aluminium avant de le découper : sa chair sera plus tendre.
Pour une jolie présentation, découpez le magret en fines aiguillettes dans le sens de la longueur en le coupant en biais. Comptez un magret pour 2 personnes.

 Comment découper un lapin ?

- En six morceaux : les 2 cuisses, les 2 pattes avant et le râble (partie du corps qui relie les pattes avant et arrière) coupé en deux. Vous pouvez aussi découper le râble en trois ou quatre morceaux et les cuisses en deux, si le lapin est très gros.
- Posez le lapin sur le dos, à plat sur une planche. Tirez le foie et coupez-le pour le détacher. Écartez les cuisses et les pattes de devant pour les désarticuler du corps. Coupez-les à l'articulation avec un large couteau tranchant. Laissez les rognons attachés au râble. Coupez le râble en deux ou en trois suivant sa longueur. Vous pouvez aussi laisser le râble entier pour le cuire tout seul.

241 **Quel est le temps de cuisson du lapin ?**

- Le râble seul, rôti au four thermostat 6 ou 7, ou en cocotte à feu doux : environ 30 min.
- Entier ou découpé en morceaux, rôti ou en sauce au four thermostat 6 ou 7, ou en cocotte à feu doux : environ 45 min.

242 Quel est le temps de cuisson d'une escalope de dinde ?

- Suivant sa grosseur, sur feu doux : environ 5 min de chaque côté, en la retournant deux ou trois fois.

> **Bon à savoir : Pour préparer des escalopes de dinde sans qu'elles soient sèches, laissez-les macérer 1 h dans du jus de citron en les retournant plusieurs fois. Comptez 1 c. à café de jus de citron par escalope. Essuyez-les soigneusement des deux côtés sur un linge ou du papier absorbant avant de les cuire. Faites-les cuire dans une poêle, à feu doux, avec un mélange de beurre et d'huile. Servez-les avec des quartiers de citron frais.**

243 Comment cuire un rôti de dinde sans qu'il soit sec ?

- Versez dans la paume de la main 1 c. à soupe d'huile et badigeonnez-en le rôti jusqu'à ce qu'il soit bien enrobé.
- Posez le rôti dans la cocotte et, à feu vif, faites saisir toutes ses faces jusqu'à ce qu'il soit doré.
- Baissez le feu, ajoutez 1 c. à soupe d'huile et environ 40 g de beurre. Ajoutez ensuite 1 tomate coupée en quatre, 1 bouquet garni, 1 petite gousse d'ail écrasée, 2 ou 3 échalotes non épluchées et salez. Couvrez la cocotte et laissez cuire à feu doux.
- Retirez le rôti du four puis versez le jus avec les aromates au travers d'une passoire en le foulant avec le plat d'une cuillère en bois. Réchauffez le jus passé et,

dès qu'il est chaud, arrêtez le feu sous la cocotte puis ajoutez des lamelles de beurre frais (10 g de beurre par personne) en les fouettant pour les incorporer au jus. Nappez le rôti découpé de sauce ou servez séparément celle-ci dans une saucière préchauffée.

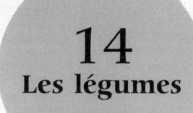

14
Les légumes

LES ARTICHAUTS

Achetez-les sans taches noirâtres au bout des feuilles et les feuilles bien serrées entre elles, signe de première fraîcheur.

> **Bon à savoir : Ne coupez pas la tige de l'artichaut avec un couteau mais arrachez-la à la main – les parties filandreuses contenues dans la tige ne resteront pas dans le cœur de l'artichaut.**

 Comment enlever la tige d'un artichaut ?

- Posez la tête de l'artichaut sur le coin de la table, tenez-la d'une main et, de l'autre, appuyez sur la queue en la pliant jusqu'à ce qu'elle se détache de la base et se casse.

 Faut-il cuire les artichauts à l'eau froide ou chaude ?

- À l'eau bouillante salée, en maintenant l'eau à grande ébullition toute la durée de cuisson. Pour les empêcher de s'ouvrir pendant la cuisson, entourez chacun de plusieurs tours de ficelle à rôti qui maintiendra les feuilles bien serrées.
- Vous pouvez rétrécir les artichauts en raccourcissant les feuilles avec des ciseaux : commencez par celles du tour.

246 **Quel est le temps de cuisson des artichauts ?**

- Suivant leur grosseur : environ 30 min.

Comment savoir si un artichaut est cuit ?

- Tirez sur les feuilles du tour : si elles se détachent facilement, il est cuit.
Retirez l'artichaut de la casserole avec une écumoire. Pour l'égoutter, posez-le à l'envers dans une passoire, le fond en l'air, les feuilles en bas. L'eau de cuisson s'écoulera plus facilement.
Si vous voulez le manger *chaud*, mettez-le sur un plat recouvert d'une serviette pliée en deux : elle absorbera l'eau de cuisson restée dans le fond de l'artichaut.
Si vous voulez le manger *froid*, ne le laissez pas séjourner dans l'eau froide, passez-le sous l'eau froide sans détacher la ficelle qui le maintient serré. Enlevez celle-ci au dernier moment.

 Combien de temps peut-on garder un artichaut cuit ?

- Pas plus de 24 h, même au réfrigérateur, car une substance toxique se développe rapidement.

> **Bon à savoir :** Pour conserver les artichauts crus frais, plongez leurs tiges dans l'eau fraîche, comme vous feriez avec des fleurs (l'artichaut est le bouton d'une fleur). Ils se conservent ainsi plusieurs jours, en changeant l'eau une ou deux fois, comme pour un bouquet. Au réfrigérateur, ils sèchent et durcissent.

Quels sont les artichauts qui peuvent se manger crus ?

- Les petits artichauts violets de Provence, jeunes et tendres, dont le foin est si peu développé qu'il n'est pas nécessaire de l'enlever.
On les trouve sur les marchés au printemps et en automne.

 Comment manger des petits légumes crus : bouquets de choux-fleurs, champignons, carottes, céleri-branche, radis... ?

- Épluchez-les et lavez-les rapidement, découpez-les en tranches, en lamelles ou en petits bâtonnets.
- Mangez-les à la croque-au-sel, en trempant l'extrémité de chaque légume dans différents sels colorés.
Servez-les en entrée ou à l'apéritif.

> **Bon à savoir : Pour colorer le sel, mélangez séparément 1 c. à café de sel fin avec 1 c. à café de curry, 1 de paprika, 1 de poivre noir. Les sels seront de couleur jaune, rose ou gris.**

LES ASPERGES
Qu'elles soient vertes ou à pointe violette ou blanche, elles doivent être brillantes, fermes et lourdes dans la main.

251 Comment éplucher les asperges ?

Elles sont délicates à éplucher car il ne faut pas briser leur tête. Elles demandent donc temps, minutie et délicatesse.
- Posez chaque asperge à plat sur une planche, la pointe en haut, le pied vers vous. Maintenez le pied d'une main et, de l'autre, avec le tranchant d'un économe, épluchez depuis la naissance de la pointe jusqu'au pied, en appuyant légèrement pour bien détacher son enveloppe filandreuse. Si l'asperge est épaisse, recommencez deux fois cette opération. Tranchez net le bout sec avec un couteau (environ 4 à 5 cm).
- Ne jetez pas les parties retirées : épluchez-les puis faites-les cuire à l'eau bouillante salée (10 g de sel par litre d'eau), passez-les au moulin à légumes (pas au mixeur) pour les réduire en purée. Vous pourrez utiliser cette purée pour une soupe, un soufflé, une tarte…

> **Bon à savoir : Pour conserver des asperges 1 jour ou 2, enveloppez-les dans un linge humide avant de les placer dans le bac à légumes du réfrigérateur.**

252 Comment cuire les asperges ?

- Préparez des petites bottes en en ficelant ensemble 6 à 8, selon leur grosseur. Plongez les bottillons d'asperges dans une grande quantité d'eau bouillante salée.
- Préparez un récipient contenant de l'eau très chaude salée et trempez-y les bottillons une fois cuits pour leur enlever leur léger arrière-goût. Ce bain rendra les asperges plus douces et plus agréables à manger. Quelques minutes suffisent.

Il existe un ustensile spécial où les asperges cuisent debout, les pointes en haut. La cuisson qui leur convient le mieux est quand même la vapeur.

 Quel est le temps de cuisson des asperges ?

- 20 à 25 min, à l'eau bouillante salée.

 Comment servir les asperges ?

- Sortez-les de l'eau, rafraîchissez-les puis détachez le lien, égouttez-les sur un linge.
- *Chaudes* : servez-les sur un plat spécial à asperges ou, si vous n'en avez pas, sur un plat recouvert d'une serviette. Accompagnez-les d'une sauce chaude.
- *Froides* : laissez-les refroidir sur le linge, couvertes d'un autre linge. Accompagnez-les d'une sauce froide.

LES AUBERGINES
Rondes ou allongées, achetez-les la peau lisse, bien tendue, sans tache, le bout vert bien frais.

255 **Comment préparer les aubergines** ?

- Enlevez le bout vert en le tirant vers vous avec le plat d'un couteau. Lavez-les sous l'eau froide. Essuyez-les.
- Suivant la préparation choisie, vous pouvez laisser leur peau ou les éplucher entièrement ou partiellement, c'est-à-dire en laissant des lanières de peau tous les centimètres.

Comment préparer des aubergines farcies ?

Choisissez-les de forme ronde plutôt que longue.
- Coupez-les en deux. Avec la pointe d'un couteau, tailladez en tous sens la chair sans percer le fond puis, toujours avec la pointe du couteau, cernez le tout à 3 mm du bord sans abîmer la peau.
- Saupoudrez chaque moitié d'aubergine d'1 c. à café rase de sel fin. Laissez-les ainsi 30 min afin qu'elles rendent leur eau de végétation. Égouttez-les dans une passoire, puis épongez-les soigneusement avec un linge ou du papier absorbant.
- Faites chauffer 2 l d'huile dans la friteuse et plongez 3 ou 4 aubergines. Laissez-les cuire pendant 5 à 7 min jusqu'à ce qu'elles deviennent molles.
- Égouttez-les sur un linge et, avec une cuillère, enlevez la chair sans abîmer la peau.
- Sur une planche, hachez la chair au couteau et ajoutez, selon votre choix, de la viande hachée (l'agneau est la meilleure), des tomates (sans peau ni graines), de l'ail écrasé, des échalotes, des champignons. Remplissez chaque moitié d'aubergine avec le hachis, saupoudrez de chapelure et arrosez-les d'1 c. à soupe de beurre fondu ou d'huile. Ainsi préparées, il ne reste plus qu'à les faire gratiner au four.

Comment préparer des aubergines comme légume d'accompagnement ?

- Lavez-les puis essuyez-les, épluchez-les avec un économe en laissant tous les centimètres une lanière de peau (mieux vaut les éplucher partiellement, elles se défont moins à la cuisson et ont plus de goût).
- Coupez-les en rondelles, en dés, ou en tranches plus ou moins fines dans le sens de la longueur. Étalez les morceaux sur une grande planche ou un linge et sau-

poudrez-les de sel fin (comptez 1 c. à soupe par aubergine) pour qu'elles rendent leur eau : en effet, ce sont
de véritables éponges et, non dégorgées, elles absorbe-
raient trop d'huile en cuisant. Laissez-les ainsi 30 min,
puis égouttez-les dans une passoire et épongez-les soigneusement.
- Faites chauffer quelques c. d'huile dans une sauteuse,
mettez les aubergines à cuire, sans les saler, couvrez la
sauteuse et remuez-les souvent pour qu'elles n'accro-
chent pas au fond. Laissez-les cuire 20 min. Vous pouvez ajouter en fin de cuisson de la crème fraîche ou des
dés de tomates sans peau ni graines.

 Qu'appelle-t-on caviar d'aubergine ?

- La chair de l'aubergine réduite en purée, à laquelle on
ajoute de l'oignon râpé, de la chair de tomate coupée en
petits dés, de l'ail écrasé, du jus de citron, de l'huile
d'olive et de l'aneth.

 **Comment réduire en purée la chair de
l'aubergine ?**

- Lavez les aubergines sous l'eau froide sans couper leur
bout vert. Essuyez-les soigneusement. Ne les épluchez
pas.
- Vous pouvez les cuire à la vapeur pendant 40 min ou
les cuire au four :
- posez-les entières sur la plaque du four recouverte de
papier aluminium. Laissez-les dans le four chaud
(thermostat 7) environ 30 min. Retournez-les plusieurs
fois par le bout vert, jusqu'à ce que la peau soit grillée
de tous côtés ;
- sortez-les du four, posez-les sur une planche et, avec
la pointe d'un couteau, fendez-les en deux dans le sens

de la longueur, puis sortez la chair avec une grosse cuillère. Jetez la peau, mettez la chair dans une jatte et écrasez-la finement avec le dos d'une fourchette.
Procédez de même si vous les avez cuites dans le cuit-tout vapeur.

LES BROCOLIS
Achetez-les bien rigides, de couleur vert sombre, sans fleurs jaunâtres.

Qu'est-ce qu'un brocoli ?

- Une variété de chou-fleur à la saveur plus délicate et moins prononcée. Tout se mange : le bouquet avec ses feuilles et les tiges. Le bouquet a plutôt le goût du chou-fleur et la tige celui de l'asperge.

Comment préparer les brocolis ?

- Avec un couteau, séparez les bouquets des tiges, laissez les feuilles, éliminez seulement celles qui sont flétries ; épluchez les tiges avec un économe puis, sur une planche, coupez-les en bâtonnets. Laissez tremper tiges et bouquets 5 min dans de l'eau fraîche citronnée ou vinaigrée (1 jus de citron pour une bassine d'eau).

> **Bon à savoir : Égalisez les bouquets de brocolis afin qu'ils cuisent de la même façon. Coupez les plus gros en deux ou en quatre.**

Faut-il cuire les brocolis à l'eau froide ou chaude ?

- Dans une grande quantité d'eau bouillante salée (comptez 3 l d'eau pour 1 kg de brocolis). Faites cuire dans le même récipient les bouquets et les tiges découpées en bâtonnets.

263 Quel est le temps de cuisson des brocolis ?

- 6 à 7 min pour les bouquets.
- 10 min pour les tiges.
Mettez les tiges à cuire avant de plonger les bouquets dans l'eau bouillante.
Les brocolis sont délicieux légèrement croquants sous la dent.

 Comment servir les brocolis ?

- *Chauds*, ou même *tièdes*, arrosés d'une vinaigrette à l'huile d'olive et au citron, parsemés d'estragon, de ciboulette ou de persil finement hachés.
- Comme *légume d'accompagnement* d'une viande ou d'un poisson. Égouttez-les dans une passoire, mettez-les dans un plat creux préalablement chauffé et versez dessus du beurre fondu (environ 50 g de beurre pour 1 kg de brocolis), ou faites-les revenir dans du beurre à la poêle quelques minutes.

LES CAROTTES
On en trouve presque toute l'année : au printemps, elles sont vendues en bottes avec leurs fanes. Choisissez-les de belle couleur orangée, lisses et sans taches, plutôt en vrac que dans des sachets en plastique.

265   Faut-il cuire les carottes à l'eau froide ou chaude ?

- Toujours à l'eau froide et en quantité juste suffisante pour les couvrir à hauteur. Mettez-les à cuire, sur feu très doux, avec du sel fin, du sucre en poudre et du beurre. Pour 1 kg de carottes coupées en rondelles ou en bâtonnets, comptez 1/2 c. à café de sel fin, 60 g de beurre et 2 pincées de sucre.
- Couvrez la casserole et laissez-les cuire jusqu'à ce qu'il n'y ait presque plus d'eau. En fin de cuisson, avec une cuillère en bois, retournez-les plusieurs fois dans le jus, qui reste légèrement sirupeux, afin qu'elles s'enrobent d'une jolie couche luisante.

266   Faut-il cuire de la même façon les carottes de l'hiver et les carottes tendres et jeunes du printemps ?

- *Les carottes d'hiver* ont souvent la partie centrale jaune, dure et ligneuse, surtout si elles sont grosses. Supprimez la tige centrale – en coupant les carottes en deux, elle s'enlèvera facilement. Ces carottes doivent cuire plus longtemps.
- *Les carottes de printemps* se cuisent en gardant environ 1 cm des tiges vertes. Laissez les carottes entières si elles sont petites, coupez les plus grosses en deux tout en conservant leur bout vert. Il n'est pas nécessaire de les éplucher, il suffit de les gratter légèrement avec le tranchant d'un petit couteau car elles n'ont presque pas de peau. Elles cuisent moins longtemps que les carottes d'hiver.

Comment préparer les carottes Vichy ?

- Coupez les carottes en très fines rondelles et remplacez l'eau par l'eau de Vichy légèrement gazeuse.

 Comment préparer une purée de carottes ?

- Coupez les carottes en rondelles. Mettez-les à cuire à l'eau froide à couvert avec du sel fin.
- Dès que l'eau de cuisson est complètement évaporée, mixez-les avec un mixeur électrique. Si vous n'en avez pas, passez-les avec la grille fine du moulin à légumes.
- Remettez la purée dans une casserole et remuez-la sur le feu avec une cuillère en bois pour la sécher et qu'il ne reste plus d'eau ; quelques minutes suffiront. Arrêtez le feu sous la casserole et ajoutez à la purée des noix de beurre frais. Mélangez bien pour que le beurre s'incorpore dans la purée. Comptez 80 g de beurre pour 500 g de purée.

> **Bon à savoir : Pour assaisonner une salade de carottes râpées, utilisez du jus de citron plutôt que du vinaigre. Ajoutez 1 c. à café d'eau pour les rendre plus moelleuses.**

LE CÉLERI-BRANCHE
Choisissez-le bien rigide, aux côtes de couleur jaune clair, au feuillage vert clair.

LE CÉLERI-RAVE
Soupesez-le dans la main avant de l'acheter : il doit être lourd et ne pas sonner creux.

269 Quelle est la différence entre le céleri-branche et le céleri-rave ?

Ce sont deux variétés fort différentes bien qu'elles portent le même nom.
Le *céleri-branche* nous donne ses feuilles vertes à côtes blanches et juteuses et un pied charnu.
Le *céleri-rave* donne sa grosse racine ronde sans feuilles.
Ces deux variétés se mangent crues ou cuites, mais leur mode de préparation est différent.

270 Comment cuire le céleri-branche ?

- Enlevez les premières branches vertes et dures du tour, grattez le pied avec le plat d'un couteau et taillez-le en pointe pour maintenir ensemble les branches et le cœur. Coupez les branches à environ 20 cm du pied pour les égaliser. Enlevez les parties filandreuses des côtes extérieures avec un couteau éplucheur. Lavez le céleri sous l'eau froide en écartant bien les branches.
- Ainsi préparé et avant de le cuisiner, il est nécessaire de blanchir le céleri : plongez-le 10 min dans une grande casserole remplie d'eau bouillante salée afin de l'attendrir et éliminer son goût âcre.

271 Quel est le temps de cuisson du céleri-branche ?

- Entier et replié en deux pour réduire sa taille, au four ou en cocotte : de 1 h à 2 h.
- Détaillé en fins bâtonnets : 15 min à l'eau bouillante salée.

272 Comment utiliser les feuilles d'un céleri-branche une fois cuites ?

- Gardez les plus fraîches et les plus tendres, séchez-les à four très doux, environ 30 min.
- Posez-les à plat sur une feuille de papier aluminium étalée sur la plaque du four. Laissez-les refroidir puis enfermez-les dans un bocal fermant hermétiquement.
Vous pouvez ensuite vous en servir pour les ajouter à 1 bouquet garni (1 ou 2 branches suffisent) ou relever le goût d'un potage ou d'un court-bouillon de poisson.

273 Comment conserver un céleri-branche ?

- Trempez le pied dans un grand verre rempli d'eau froide salée (2 pincées de sel fin pour un grand verre d'eau).
Au réfrigérateur, les tiges et les feuilles flétrissent et jaunissent très rapidement.

274 Comment préparer un céleri-branche servi cru ?

- Utilisez seulement la partie blanche et tendre du cœur. Détachez les branches les unes des autres, enlevez les parties filandreuses avec un couteau éplucheur en les tirant vers vous. Lavez soigneusement les branches sous l'eau froide en grattant les parties terreuses.
- Vous pouvez servir les tiges telles quelles avec du beurre frais ou du sel fin. Elles accompagnent délicate-ment un plateau de fromage.
- Vous pouvez aussi les détailler en fins bâtonnets et les mélanger à des salades composées, ou encore les consommer seules, assaisonnées d'une vinaigrette for-tement moutardée.

Comment présenter de jolies branches de céleri bouclées ?

- Avec la pointe d'un couteau, sans complètement la détacher, coupez l'extrémité de chaque branche en très fines bandes. Plongez-les dans un récipient rempli d'eau très fraîche pendant environ 20 min, jusqu'à ce qu'elles forment des boucles.
- Égouttez-les sur un linge avant de les présenter à table.
Bouclées de cette façon, elles décorent joliment les plats de crudités.

276 **Comment préparer le céleri-rave servi cru ?**

- Épluchez-le comme 1 pomme de terre jusqu'à ce que la chair apparaisse nette et lisse, sans points marron ni traces de fibres. Lavez-le sous l'eau froide et pressez sur toute sa surface le jus d'1/2 citron pour éviter qu'il noircisse au contact de l'air. Comptez un tiers de perte pour l'épluchage d'1 céleri-rave.
- Si vous n'avez pas de robot mixeur, râpez le céleri en utilisant les gros trous de la râpe, ou détaillez-le au couteau en fines rondelles, puis en petits bâtonnets.
- Pour l'attendrir, plongez-le environ 10 s dans de l'eau bouillante salée, ou laissez-le macérer 30 min dans du jus de citron.
- Égouttez-le puis épongez-le sur un linge avant d'ajouter une sauce mayonnaise fortement moutardée ou une sauce vinaigrette également à base de moutarde.

 Comment cuire le céleri-rave ?

- Épluchez-le comme si vous le mangiez cru, puis détaillez-le en rondelles, en quartiers ou en bâtonnets.

Faites-le cuire dans de l'eau bouillante salée jusqu'à ce
que les dents d'une fourchette le traversent aisément de
part en part.

 Quel est le temps de cuisson du céleri-rave ?

- Environ 25 à 30 min à l'eau bouillante salée.

 **Comment préparer une purée
de céleri-rave ?**

- Mélangez le céleri, au goût assez prononcé, avec des
pommes de terre cuites à l'eau : pour 500 g de céleri-
rave, 250 g de pommes de terre.
- Quand les légumes sont cuits, passez-les ensemble au
moulin à légumes et ajoutez du beurre frais et du lait
bouillant, comme pour une purée de pommes de terre.

> **Bon à savoir : La purée de céleri-
> rave sera meilleure si vous faites
> cuire les légumes séparément dans
> deux casseroles car la cuisson du
> céleri demande plus de temps que
> celle des pommes de terre ; le goût
> du céleri sera moins prononcé.**

LES CHAMPIGNONS

280 **Comment éplucher des champignons cueillis dans les prés ou les bois ?**

ATTENTION : avant de cuisiner les champignons, demandez à votre pharmacien si ceux que vous avez ramassés sont comestibles. Soyez sûr(e) de vous : deux conseils valent mieux qu'un.

- Pour préserver leur arôme si particulier, mieux vaut ne pas les éplucher ni les laver. Essuyez-les un par un avec un bout de linge humide et grattez-les légèrement avec le plat d'un couteau. Coupez le bout terreux et supprimez les pieds véreux. Toutefois, si les champignons sont pleins de terre, après avoir coupé le bout terreux du pied, lavez-les très rapidement dans une bassine remplie d'eau fraîche légèrement vinaigrée (4 à 5 c. à soupe de vinaigre), en brassant l'eau pour bien les nettoyer. Changez l'eau plusieurs fois si nécessaire, sans rajouter de vinaigre, mais ne les laissez pas tremper.

281 **Combien de temps et comment peut-on conserver des champignons cueillis dans les prés ou les bois ?**

- Le moins longtemps possible : 12 h maximum.
En prenant soin de les nettoyer après la cueillette, mangez-les le jour même ou le lendemain. Enveloppez-les alors dans du papier journal et gardez-les dans le bac à légumes du réfrigérateur.

282 **Comment préparer les champignons sauvages ?**

- Tout simplement sautés au beurre ou à l'huile dans une sauteuse ou une grande poêle.

Laissez les petits champignons entiers et coupez en deux ou quatre les plus gros.
- Mettez la matière grasse à chauffer dans la poêle et, dès qu'elle grésille, versez les champignons : remuez-les pour qu'ils en soient bien imprégnés. Couvrez la poêle et laissez-les cuire à feu doux. Il est très important de couvrir l'ustensile utilisé car, ainsi, les champignons pourront cuire dans leur eau de végétation. Assaisonner en fin de cuisson.
Vous pouvez ajouter à mi-cuisson un hachis d'ail, d'échalotes et de persil.
Dès qu'ils sont cuits, vous pouvez les ajouter à une omelette, dans une sauce, un ragoût, ou les servir tels quels en accompagnement d'une viande.

 283 ### Quel est le temps de cuisson des champignons sauvages ?

Tout dépend de leur grosseur et de leur quantité. Les temps de cuisson indiqués ci-dessous ne peuvent donc être qu'approximatifs :
les girolles, 5 à 10 min ;
les chanterelles en tubes (grises ou jaunes), quelques minutes ;
les cèpes coupés en lamelles, au moins 30 min, plus si vous les aimez bien grillés ;
les mousserons, quelques minutes ;
les pieds de mouton, 10 min ;
les trompettes de la mort, quelques minutes. Elles sont noires et, à la cuisson, elles rendent un jus noir. Il est donc important de toujours les faire cuire à part dans une poêle.

Bon à savoir : Ne faites pas trop
cuire les champignons sauvages car
ils perdraient leur arôme subtil et
deviendraient durs. En général, les
champignons sont cuits lorsque leur
jus de cuisson est complètement
évaporé.

 **Comment éplucher les champignons
de Paris ?**

Choisissez-les bien blancs, sans marques marron,
fermes, la tête refermée sur la queue. Laissez de côté
ceux dont la tête est ouverte comme un parapluie aux
lamelles noirâtres.
- Coupez le bout sableux du pied, puis lavez les champignons sous l'eau froide en les roulant entre eux dans
votre main pour enlever le sable. Ne les faites pas tremper, ils deviendraient spongieux. Le champignon de
Paris rend son eau en cuisant.

Bon à savoir : Arrosez les champignons de Paris coupés de jus de citron pour éviter qu'ils brunissent à
l'air.

 **Comment préparer les champignons
de Paris ?**

Crus : en salade, à condition de les choisir bien blancs
et de toute première fraîcheur.

- Coupez-les en fines lamelles et arrosez-les sans attendre d'1 filet de citron. Vous pouvez les napper d'une sauce vinaigrette (avec du vinaigre de framboise, c'est meilleur), d'une sauce à la crème et aux fines herbes. Mélangez-le dans les salades composées.

Cuits :
- Coupez-les en lamelles, en quartiers ou laissez-les entiers. Faites-les sauter à la poêle dans un peu de beurre chaud en les remuant souvent. En lamelles, la cuisson est d'environ 5 min, en quartiers 8 min, entiers 10 min.
- Dès qu'ils sont cuits, vous pouvez les parsemer d'un hachis de persil et d'ail ou d'échalotes, de crème et de vin blanc. Salez et poivrez les champignons seulement en fin de cuisson.

Farcis au four :
- Détachez les têtes des pieds de champignons. Hachez finement les pieds avec des échalotes, ajoutez un peu de crème, du persil haché et remplissez les têtes de cette farce. Arrosez de beurre fondu et faites cuire dans le four préchauffé thermostat 7 pendant environ 25 min.

 Comment préparer des champignons séchés (morilles exceptées) ?

- Laissez-les tremper au minimum 2 h dans de l'eau tiède, en les pressant de temps en temps pour qu'ils gonflent et reprennent leur forme.
- Séchez-les sur du papier absorbant ou un linge avant de les cuisiner. Gardez une tasse de leur eau de trempage si vous les préparez en sauce.

Comment nettoyer des morilles séchées ?

- Après trempage, comme précédemment, coupez chaque morille en deux ou en quatre si elles sont trop

grosses, car elles retiennent dans leur chapeau pointu et leur pied des petites particules de terre ou de sable très désagréables sous la dent. Coupez le bout terreux du pied. Remettez-les à nouveau dans de l'eau pour éliminer le reste du sable.
- Essorez-les au travers d'une passoire, secouez celle-ci pour bien enlever l'eau. Gardez une petite tasse de leur première eau de trempage, qui vous servira quand vous les ferez cuire.

 288 **Comment cuire les morilles séchées ?**

Seul le beurre leur convient.
- Faites-le fondre doucement dans une sauteuse, versez les morilles, remuez-les avec une cuillère en bois, ajoutez leur eau de trempage, couvrez la sauteuse et laissez-les cuire sur feu moyen environ 10 min.
- Enlevez le couvercle, ajoutez quelques cuillerées à soupe de crème fraîche, remuez les morilles dans la crème et laissez réduire à feu moyen 5 min, sans couvercle, jusqu'à ce que la crème épaississe. Salez et poivrez au dernier moment.
Si vous voulez ajouter les morilles à une viande en sauce ou à un poisson en sauce, faites-les revenir préalablement au beurre et dans leur eau de trempage pendant 10 min.

 289 **Quelle quantité de morilles séchées faut-il compter par personne ?**

- 10 à 12 g en moyenne soit, suivant leur grosseur, 6 moyennes ou 10 petites.

LES ENDIVES
Choisissez-les de forme régulière, bien blanches, sans feuilles verdâtres.

 Comment éplucher les endives ?

- Avec la pointe d'un petit couteau, creusez la base sur environ 2 cm pour enlever le petit cône qui lui donne de l'amertume ; puis s'il le faut, retirez les premières feuilles tachées et rincez rapidement les endives sous l'eau froide.

> **Bon à savoir : Ne faites jamais tremper les endives dans l'eau, cela les rendrait encore plus amères.**

 Comment conserver les endives ?

- À l'abri de la lumière, pour les empêcher de verdir et de prendre, de ce fait, un goût âcre et désagréable. Les endives peuvent se garder une semaine, enveloppées dans du papier journal et mises dans le bac à légumes du réfrigérateur.

292 Quelle quantité d'endives faut-il compter par personne ?

- *Crues*, *en salade* : 100 à 125 g.
- *Cuites*, *en légumes* : environ 300 g par personne car elles fondent beaucoup à la cuisson.

293 Comment préparer les endives ?

- *Crues*, *en salades* : coupez la base des endives et détaillez les feuilles en rondelles. Accompagnez-les de cerneaux de noix, de quartiers de pomme, de cubes de betterave rouge, de dés de comté et de jambon blanc. Vous pouvez aussi détacher les feuilles les unes des autres et les garnir de roquefort mélangé à du beurre.
- *Cuites* : mettez les endives entières et épluchées dans une sauteuse ou dans une grande casserole. Recouvrez-les d'eau froide et posez sur le dessus une feuille de papier blanc de cuisson badigeonné de beurre. Salez et ajoutez une bonne pincée de sucre. Selon leur grosseur, le temps de cuisson peut varier entre 30 et 40 min. En fin de cuisson, égouttez-les dans une passoire, la pointe de l'endive vers le bas. Pressez-les avec une cuillère en bois afin d'éliminer l'eau de cuisson. Mettez du beurre à chauffer dans une poêle et faites-y dorer les endives.

> **Bon à savoir : Pour enlever l'amertume des endives, ajoutez un peu de sucre en poudre dans leur eau de cuisson.**

294 Comment préparer des endives au jambon ?

- Mettez les endives épluchées dans une casserole, versez de l'eau froide à mi-hauteur, salez légèrement et recouvrez le dessus d'un papier beurré (utilisez l'emballage du beurre) pour éviter aux endives tout contact avec l'air, qui les ferait noircir. Laissez-les cuire à feu moyen environ 30 min.
- Dès qu'elles sont cuites (quand la pointe d'un couteau les traverse aisément de part en part sans rencontrer de

résistance), égouttez-les dans une passoire puis séchez-les soigneusement sur un linge ou du papier absorbant pour les débarrasser de toute l'eau qu'elles contiennent avant de les entourer de jambon.

- Coupez les tranches de jambon en deux si elles sont grandes, posez une endive sur chaque tranche, enroulez le jambon tout autour. Installez les endives au jambon dans un grand plat à gratin préalablement beurré sur toute sa surface et tapissé d'une fine couche de béchamel, nappez les endives de béchamel, parsemez de fromage râpé (comté ou emmenthal), et posez 2 noisettes de beurre sur chaque endive.

 Quel est le temps de cuisson des endives au jambon ?

- Environ 30 min à four chaud : four préchauffé pendant 15 à 20 min, thermostat 6 ou 7, selon le four.

LE CHOU
Achetez-le lourd dans la main, les feuilles fermes, bien attachées au trognon.

 Comment éplucher un chou vert ?

- Enlevez les feuilles extérieures puis partagez le chou en quatre. Avec un couteau, retirez le trognon dur qui retient les feuilles, enlevez les côtes les plus grosses. Lavez le chou dans une grande bassine d'eau froide vinaigrée, en écartant bien les feuilles pour vérifier qu'aucun insecte n'y reste caché.

297 Comment préparer un chou vert ?

- Après l'avoir épluché, égouttez-le dans une passoire en plusieurs fois pour le débarrasser de l'eau froide qu'il contient.
- S'il s'agit d'un chou d'hiver, il faut le blanchir avant de le cuire, c'est-à-dire le plonger dans une grande quantité d'eau bouillante non salée pendant 10 min, à partir de la reprise de l'ébullition. S'il s'agit d'un chou nouveau de printemps, pas besoin de le blanchir.
En cuisant, le chou réduit de moitié.

298 Quel est le temps de cuisson du chou vert ?

- *Le chou vert de printemps* : environ 30 min à l'eau bouillante ; braisé : 45 min.
- *Le chou d'hiver*, après blanchiment : environ 40 min à l'eau bouillante ; braisé : environ 1 h 30.

> **Bon à savoir : Pour atténuer l'odeur du chou dans la cuisine, posez sur le couvercle de la casserole, pendant qu'il cuit, deux épaisseurs de linge de cuisine bien imbibé de vinaigre.**

299 Comment cuisiner un chou braisé ?

- Empilez plusieurs feuilles de chou sur une planche, découpez-les en quatre. Saupoudrez-les de sel fin.
- Faites chauffer 3 c. à soupe de saindoux (pour 1 chou de grosseur moyenne) dans une casserole à fond épais ou dans une cocotte ; ajoutez les feuilles de chou découpées,

remuez-les dans la graisse avec une cuillère en bois pour qu'elles s'imprègnent de saindoux. Ajoutez 1 bouquet garni, 1 oignon entier épluché et piqué de 2 clous de girofle. Couvrez la cocotte et laissez cuire à feu très doux.
- Vous pouvez ajouter un morceau de lard ou des petits lardons – dans ce cas, salez moins.
Pour savoir si le chou braisé est cuit, retirez une feuille de la cocotte avec une écumoire : elle doit s'écraser en purée entre les doigts.

 300   Comment préparer la choucroute crue ?

- Lavez-la deux à trois fois à l'eau bouillante jusqu'à ce que l'eau soit claire. Pressez-la fortement dans une passoire pour éliminer l'eau, puis échevelez-la avec les dents d'une fourchette pour qu'elle retrouve du volume.
Comptez 250 à 300 g par personne.

LES CHOUX DE BRUXELLES
Achetez-les d'une belle couleur vert clair, sans feuilles jaunâtres.

 301   Comment éplucher les choux de Bruxelles ?

- Enlevez les premières feuilles extérieures, coupez la base avec un couteau pointu pour retirer la petite tige dure. Lavez-les dans une grande bassine d'eau fraîche vinaigrée.

302   Faut-il cuire les choux de Bruxelles à l'eau froide ou chaude ?

- Avant de les cuisiner, il est nécessaire de les faire blanchir, c'est-à-dire de les plonger dans une casserole remplie d'eau froide non salée et de les laisser 5 min après la reprise de l'ébullition. Égouttez-les dans une passoire puis plongez-les à nouveau dans une casserole remplie d'eau bouillante salée.

Ne couvrez pas la casserole afin de garder le vert des choux.

Cette façon de procéder en deux fois rend les choux de Bruxelles plus digestes.

 Quel est le temps de cuisson des choux de Bruxelles ?

- En tout, 20 min : 5 min de blanchiment dès la reprise de l'ébullition après départ à l'eau froide, puis 15 min dans l'eau bouillante salée.

LE CHOU-FLEUR
Choisissez-le ferme, les bouquets d'un blanc franc, sans taches marron.

 Comment éplucher un chou-fleur ?

- Enlevez les feuilles vertes du tour, coupez la grosse tige blanche de la base puis détachez les bouquets. Coupez en deux les plus gros pour qu'ils soient de même taille.

 Quel est le temps de cuisson du chou-fleur ?

- Environ 20 min dans de l'eau bouillante salée.

> **Bon à savoir : Pour atténuer l'odeur du chou-fleur pendant sa cuisson, ajoutez dans l'eau un croûton de pain rassis qui en absorbera une partie.**

306 **Comment garder le chou-fleur bien blanc ?**

- Pressez le jus d'1 citron dans l'eau bouillante en fin de cuisson.

307 **Comment empêcher le chou-fleur une fois cuit de s'écraser en purée ?**

- Enlevez-le de son eau de cuisson avec une écumoire au lieu de le verser directement en une seule fois dans la passoire.

308 **Quel chou acheter pour une salade de chou cru ?**

- Le chou blanc aux feuilles lisses et très serrées ou le chou rouge.

LE CONCOMBRE
Achetez-le ferme, le plus droit possible, la peau tendue et brillante, sans taches.

309 Comment préparer les concombres en salade ?

- Enlevez la peau avec un économe. Coupez-les en deux dans le sens de la longueur et enlevez les graines, si elles sont trop grosses, avec une petite cuillère.
- Posez le côté plat sur une planche et coupez-les en tranches fines.
- Mettez celles-ci dans une jatte et saupoudrez-les de gros sel (2 c. à soupe de sel pour 1 concombre). Laissez-les rendre leur eau pendant 30 min. Égouttez-les dans une passoire et rincez-les bien à l'eau froide.
- Pressez fortement les concombres entre vos mains, posez-les au milieu d'un linge, repliez celui-ci et pressez à nouveau pour bien enlever l'eau.
- Préparez une sauce vinaigrette avec très peu de sel, ou une sauce à la crème (1 c. de vinaigre pour 3 c. de crème fraîche).
- Saupoudrez la salade de concombres de cerfeuil, de ciboulette ou de persil haché.
Vous pouvez aussi enlever la peau d'un concombre entier et continuer à l'éplucher avec l'économe en fins rubans jusqu'aux graines, que vous jetez.

> **Bon à savoir : Si vous préférez le concombre croquant, ne le faites pas dégorger au gros sel, mais attention, il sera alors moins digeste.**

310 On dit que les concombres cuits sont délicieux, mais comment les préparer ?

- Épluchez-les avec un économe. Coupez-les en tronçons d'environ 4 cm. Posez chaque tronçon, côté coupé, sur une planche et détaillez-les en deux puis en quatre.

Enlevez les graines, si elles sont trop grosses, avec un couteau.
- Plongez les concombres coupés dans de l'eau bouillante salée (10 g de gros sel par litre d'eau). Égouttez-les dans une passoire.
- Faites fondre du beurre dans une poêle (30 g de beurre pour 1 concombre) et faites-les revenir quelques minutes en les remuant avec une cuillère en bois pour qu'ils s'imprègnent bien de beurre. Vous pouvez ajouter 2 c. à soupe de crème fraîche en la laissant cuire jusqu'à ce qu'elle épaississe.
- au moment de servir, saupoudrez les concombres avec du cerfeuil ou de la ciboulette.

311 Quel est le temps de cuisson des concombres ?

- 8 à 10 min à l'eau bouillante salée, selon la grosseur des bâtonnets.

LE CRESSON
Achetez-le de belle couleur vert foncé, sans feuilles jaunies ni flétries.

312 Comment éplucher une botte de cresson ?

- Raccourcissez les tiges puis coupez le lien qui tient la botte. Enlevez toutes les feuilles flétries et jaunies s'il en a, et les tiges trop grosses.
- Lavez le cresson soigneusement trié plusieurs fois dans l'eau.
- Essorez-le dans l'essoreuse à salade avant de l'utiliser en soupe, en purée, en salade.

313 Comment préparer une soupe de cresson ?

- Dans une casserole, faites fondre 25 g de beurre, ajoutez 1 botte de cresson, trié, lavé, bien essoré. Remuez avec une cuillère en bois, à feu doux, jusqu'à ce que le cresson soit réduit en purée.
- Versez 1 l d'eau froide, ajoutez 1 livre de pommes de terre épluchées et coupées en petits quartiers. Salez avec 1 c. à soupe rase de gros sel. Couvrez la casserole et laissez cuire environ 30 min.
- Passez la soupe au moulin à légumes ou mixez-la.
- Remettez-la dans la casserole pour la réchauffer quelques minutes.
- Dans un bol, mélangez 1 jaune d'œuf et 2 c. à soupe de crème fraîche épaisse. Arrêtez le feu sous la casserole, versez le mélange œuf-crème dans la soupe, remuez avec une louche.
Servez aussitôt sans faire bouillir davantage car le jaune d'œuf ne supporte pas l'ébullition.

LES COURGETTES
Achetez-les fermes, sans taches ni éraflures, le pédoncule bien attaché.

314 Faut-il éplucher les courgettes ?

- Mieux vaut ne pas les éplucher totalement mais les peler partiellement en laissant des languettes de peau entre les parties pelées : ainsi elles ne s'écraseront pas en purée pendant leur cuisson.

315 Les petites courgettes sont-elles meilleures que les grosses ?

- Oui car elles contiennent beaucoup moins de graines et leur peau est plus fine.

316 Quelle quantité de courgettes prévoir par personne ?

- 250 g comme légume d'accompagnement.
- 150 g pour une ratatouille.
Soit, selon leur grosseur : 1 à 1 1/2 courgette.

LES ÉPINARDS
Les feuilles doivent être d'un beau vert brillant.

317 Comment éplucher les épinards ?

- Repliez en deux chaque feuille pour enlever la tige sans abîmer la feuille. Lavez-les soigneusement dans une grande bassine d'eau fraîche sans les laisser tremper longtemps pour qu'ils gardent toutes leurs vitamines. Éliminez les éventuelles feuilles flétries ou jaunies.

318 Quelle quantité d'épinards faut-il prévoir par personne ?

- 100 à 150 g.
Pour obtenir 500 g d'épinards cuits, comptez environ 2 kg d'épinards crus.

319 Comment cuire les épinards ?

– Avant de les cuire, il faut, après les avoir épluchés, triés et lavés, les secouer vivement pour enlever l'eau de trempage qu'ils peuvent encore contenir.
– Faites bouillir 5 l d'eau (pour 2 kg d'épinards). Dès qu'elle bout, plongez-y peu à peu les épinards, enfoncez-les bien avec une cuillère en bois. Laissez-les cuire à gros bouillons 10 à 12 min.
– Égouttez-les dans une passoire et pressez-les avec le dos de la cuillère pour qu'ils perdent toute leur eau.
Vous pouvez les servir tels quels avec 1 noix de beurre frais, ou faire fondre du beurre (50 g pour 500 g d'épinards cuits) dans une poêle et les faire revenir dans le beurre fondu quelques minutes.
– *Une autre façon* rapide de cuire les épinards consiste, après les avoir épluchés, lavés et essorés, à les faire revenir à la poêle 5 à 6 min avec du beurre fondu, sans couvercle, puis à les plonger ensuite dans l'eau froide ; ils gardent ainsi leur vert.

320 Comment savoir si les épinards sont cuits ?

– Retirez une feuille avec une écumoire et pressez-la entre vos doigts : si elle s'écrase en purée, les épinards sont cuits à point.

321 Comment garder les épinards cuits quand on ne les consomme pas tout de suite ?

– Ne les conservez pas en tas mais étalez-les à plat sur le fond d'un grand plat. Couvrez-les et mettez-les au réfrigérateur.

Les épinards cuits ne peuvent se garder au-delà de 24 h car leurs nitrates se transforment en nitrites, qui sont dangereux.

> **Bon à savoir : On peut servir crues, en salade, les feuilles d'épinards jeunes et tendres, ayant une tige très fine qu'il n'est pas nécessaire d'ôter.**

LE FENOUIL

Choisissez-le ferme et bien blanc, sans taches, et les brindilles bien rigides. Son goût anisé ne plaît pas à tout le monde.

322 **Comment éplucher et préparer le fenouil ?**

- Si vous l'avez acheté bien blanc, il n'est pas nécessaire de l'éplucher. Par contre, s'il a quelques taches, retirez 1 à 2 lamelles. Vous pouvez conserver les brindilles vertes de son toupet et les parsemer sur une salade.
- Lavez le fenouil entier ou coupé en deux, coupez le bout des tiges et séchez-les dans du papier absorbant.
Cru, vous pouvez le couper en fines lamelles et le servir en salade. Accompagnez-le de morceaux de fromage de chèvre frais, de cerneaux de noix, et nappez l'ensemble d'une sauce à la crème. Vous pouvez aussi le mélanger à d'autres crudités.
Chaud, vous pouvez le cuire coupé en deux, à la vapeur ou dans de l'eau bouillante salée (10 min de cuisson selon la grosseur ; transpercez-le de part en part pour voir s'il est cuit).

Vous pouvez ensuite napper le fenouil cuit de beurre fondu, de jus de citron, d'huile d'olive, de jus de viande, le mettre à gratiner avec du parmesan râpé, ou le napper d'une sauce béchamel.

LES HARICOTS FRAIS
Choisissez-les rigides, sans taches. Quand vous cassez une des extrémités, une goutte d'eau doit perler au bout.

323 Comment éplucher les haricots verts ?

- Cassez net une des extrémités du haricot en tirant le fil vers vous, puis cassez l'autre bout et entraînez le reste du fil. Si certains haricots sont plus longs que d'autres, cassez-les en deux. Les haricots jeunes et extra-fins n'ont pas de fil.
- Lavez-les rapidement sans les laisser tremper. Égouttez-les dans une passoire en la secouant vigoureusement pour les débarrasser de l'eau avant de les mettre à cuire.

324 Comment cuire des haricots verts pour qu'ils restent verts ?

- Plongez-les épluchés dans une grande quantité d'eau bouillante salée (5 l d'eau pour 1 kg). Ne couvrez pas la casserole pour qu'ils demeurent bien verts.
- Égouttez-les dans une passoire puis trempez-les dans une bassine remplie d'eau glacée pour fixer le vert (ajoutez quelques glaçons dans l'eau).

325 Quel est le temps de cuisson des haricots verts ?

- 10 à 12 min après la reprise de l'ébullition si vous les aimez croquants.
- 15 à 20 min après la reprise de l'ébullition si vous les aimez un peu plus cuits.

326 Comment éplucher les haricots mange-tout verts ou jaunes ?

- Cette variété ne forme pas de fils. Il suffit de casser les deux extrémités avec les doigts.

327 Quel est le temps de cuisson des haricots mange-tout ?

- 25 min à l'eau bouillante salée.

328 Faut-il cuire les haricots frais blancs, verts ou rouges à l'eau froide ou chaude ?

- Dans de l'eau bouillante salée (8 g de sel par litre d'eau), aromatisée avec 1 oignon entier épluché et piqué d'1 clou de girofle, 1 carotte moyenne épluchée, 2 gousses d'ail épluchées entières et 1 bouquet garni.

329 Quel est le temps de cuisson des haricots frais ?

- Il dépend surtout de la fraîcheur et de la tendreté des haricots, mais comptez au minimum 1 h de cuisson à feu doux.

Il est important de cuire les haricots dès que vous avez fini de les écosser : ils seront plus tendres car ils n'auront pas le temps de durcir à l'air.

LES LÉGUMES SECS

330 **Faut-il faire tremper les haricots secs ?**

- Oui, pendant 2 h au moins dans de l'eau fraîche. Égouttez-les soigneusement avant de les cuire.

331 **Doit-on cuire les haricots secs à l'eau froide ou chaude ?**

- À l'eau froide pour éviter qu'ils durcissent trop. Mettez-les dans une grande marmite, recouvrez-les d'eau froide en comptant 5 cm au-dessus des haricots.
- Faites-les chauffer doucement, et enlevez l'écume avec une écumoire. Aromatisez l'eau de cuisson avec 1 oignon entier épluché et piqué d'1 clou de girofle, 1 carotte épluchée, 2 gousses d'ail épluchées entières et 1 bouquet garni. Couvrez la marmite et surveillez la cuisson pour éviter tout débordement.

332 **Quel est le temps de cuisson des haricots secs ?**

- De 1 h 30 à 2 h sur feu très doux (intercalez un diffuseur de chaleur entre la casserole et le feu).

> **Bon à savoir : Les légumes secs à ne
> pas faire tremper sont les pois cassés
> et les lentilles dont la peau très fine
> n'a pas besoin d'être réhydratée.**

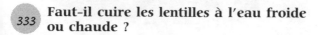 **Faut-il cuire les lentilles à l'eau froide
ou chaude ?**

- À l'eau bouillante salée.

334 **Quel est le temps de cuisson des lentilles ?**

- 40 min à feu doux, en couvrant la casserole. Surveillez
la cuisson pour éviter tout débordement.

LES MARRONS

335 **Comment éplucher les marrons ?**

- Avec la pointe d'un petit couteau pointu, fendez
l'écorce dure dans la partie la plus bombée du marron
et la peau située juste au-dessous.
- Plongez les marrons 5 min dans une casserole remplie d'eau bouillante. Arrêtez le feu.
- Épluchez les marrons quand ils sont chauds, c'est
beaucoup plus facile, même si l'on se brûle un peu les
doigts : sortez-les de l'eau chaude avec une écumoire
au fur et à mesure que vous les épluchez.
- Quand ils sont épluchés, vous pouvez les faire cuire
20 min dans de l'eau ou du lait, puis les faire dorer au
beurre ou à l'huile.

Bon à savoir : La différence entre les châtaignes et les marrons est que les châtaignes comportent 2 à 3 fruits dans leur coque épineuse et que les marrons n'en ont qu'1 seule plus grosse.

LES NAVETS

Au printemps, les navets primeurs sont vendus en bottes. N'achetez que ceux dont les feuilles sont bien vertes. Éliminez celles qui sont jaunes et flétries.

Tout le reste de l'année, les navets sont vendus en vrac ; certains sont creux à l'intérieur : soupesez-les et éliminez ceux qui sont trop légers et ceux dont la peau est ridée.

Bon à savoir : Les navets de printemps sont délicieux crus en salade. Après les avoir épluchés, vous pouvez soit les râper, soit les découper en fines rondelles. Nappez-les d'une sauce vinaigrette bien moutardée.

 Comment préparer les navets primeur en bottes ?

- Conservez quelques centimètres de leurs tiges vertes. Épluchez-les et laissez-les entiers.

- Faites-les cuire à la vapeur (selon leur taille, 8 à 12 min) ou dans de l'eau froide salée avec une noisette de beurre. Pour vérifier la cuisson, plongez la pointe d'un couteau : ils sont cuits quand la lame les traverse sans rencontrer de résistance.

Bon à savoir : Ne jetez pas les fanes
des navets, vous pouvez les cuisiner
comme les épinards ou en faire une
soupe.

337 **Comment préparer les navets ?**

- Épluchez-les. Faites-les cuire entiers dans un pot-au-
feu. Ajoutez-les en quartiers dans une soupe aux
légumes.
Les navets ont la propriété d'absorber les graisses.
Mettez-les autour d'un canard rôti au four et ajoutez
la même quantité d'oignons blancs frais, ou encore dans
un ragoût d'agneau en sauce.

LES OIGNONS
Secs, achetez-les fermes sous la pression des doigts, sans
germe vert. Frais, choisissez-les rigides et fermes.

338 **Comment éplucher un oignon sans pleurer ?**

- Avec un couteau, enlevez d'un côté les racines, de
l'autre la tige, puis coupez-le en deux. Faites couler
doucement dessus de l'eau froide en un mince filet et,
avec le plat du couteau, enlevez les premières pelures
en prenant garde de ne pas écorcher la chair de l'oignon
(ce sont les sucs qu'elle contient qui font pleurer).

339 Comment hacher un oignon ?

- Coupez-le en deux. Placez le côté coupé du demi-oignon à plat sur une planche et, avec un couteau, coupez-le verticalement en tranches fines, puis horizontalement, en maintenant l'oignon fermement sur la planche.

> **Bon à savoir : On ne doit pas conserver un oignon épluché ou tranché car, débarrassé de sa pelure, il s'oxyde rapidement à l'air ambiant et devient toxique, même dans le réfrigérateur.**

340 Comment enlever le goût âcre des oignons et, mieux, les digérer ?

- Une fois épluchés et coupés, plongez-les 1 min dans de l'eau bouillante. Égouttez-les dans une passoire avant de les utiliser.

341 Comment éplucher rapidement les petits oignons blancs secs ?

- Faites bouillir de l'eau dans une casserole ; dès que l'eau bout, plongez-y les oignons avec leur pelure, laissez-les 1 min. Égouttez-les puis épluchez-les.

342 **Comment utiliser la tige verte des oignons blancs frais ?**

- Lavez les tiges sous l'eau froide, essuyez-les puis, sur une planche, détaillez-les avec un couteau en fines rondelles.
Ajoutez-les à une salade verte ou une salade de tomates, de brocolis, de concombres.
- Vous pouvez aussi faire revenir les rondelles quelques minutes dans une poêle avec 1 noisette de beurre, à feu doux (sans les griller pour leur garder leur saveur). Parsemez-les sur un plat de légumes frais ou mélangez-les à une omelette.

LES PETITS POIS
Leur saison va de mai à juillet. Choisissez-les d'un beau vert franc, bien rigides et sans taches noirâtres.

343 **Comment écosser les petits pois frais ?**

- Cassez une des extrémités de la gousse avec les doigts, tirez sur le fil, ouvrez la gousse en deux et faites glisser les petits pois dans une jatte sans eau car, protégés par la gousse, ils n'ont pas besoin d'être lavés.
Pour 1 kg de gousses, vous obtiendrez 1 petite livre de grains.
- Une fois épluchés, si vous ne les cuisez pas tout de suite, conservez-les au réfrigérateur pour qu'ils n'aient pas le temps de s'échauffer à l'air ambiant : cela les rendrait durs et leur enlèverait toute leur qualité de légume frais.

344 **Faut-il cuire les petits pois à l'eau froide ou chaude ?**

- À l'eau bouillante salée, sans couvercle, afin de préserver leur couleur vert tendre.

> **Bon à savoir : Pour donner un goût exquis et très frais aux petits pois, ajoutez dans l'eau de cuisson quelques feuilles de menthe fraîche.**

345 **Quel est le temps de cuisson des petits pois frais ?**

- Pas plus de 15 à 20 min. Le temps de cuisson dépend de leur fraîcheur : goûtez-en un pour vérifier leur degré de cuisson.

346 **Comment réchauffer des petits pois en boîte sans qu'ils deviennent durs ?**

- En évitant l'ébullition qui durcit leur peau. Il faut pour cela placer un diffuseur de chaleur entre le feu et la casserole.

LES POIREAUX
Les beaux poireaux ont la partie blanche ferme, les racines bien attachées, les feuilles brillantes crissant au toucher.

347   Comment éplucher les poireaux ?

- Coupez net les racines à ras et le bout vert des feuilles avec un couteau.
- Si vous les gardez entiers, pour un pot-au-feu, une salade, et pour pouvoir les laver, enfoncez la lame d'un petit couteau au milieu de chaque tronçon blanc jusqu'au bout vert des feuilles, et fendez les poireaux en quatre ou en six suivant leur grosseur.
- Passez chaque poireau sous l'eau froide, en écartant bien les feuilles à demi-coupées, souvent pleines de terre ou de sable. Enlevez tout autour des poireaux les premières feuilles flétries jusqu'à ce que le blanc apparaisse lisse et sans taches.
- Lavez-les ensuite dans une grande bassine d'eau fraîche sans les laisser tremper trop longtemps, surtout s'ils sont coupés.

348   Pendant combien de temps conserver au réfrigérateur des poireaux cuits ?

- 48 h au grand maximum : au-delà, ils dégagent des éléments nocifs et indigestes.

349   Comment conserver une savoureuse soupe de poireaux-pommes de terre ?

Comptez 2 poireaux moyens et 1 livre de pommes de terre pour 4 personnes.
- Épluchez et lavez les poireaux et les pommes de terre. Détaillez les poireaux en quatre, sur toute leur longueur, en ne gardant que le blanc et le bout vert clair. Coupez-les en bâtonnets d'1 cm environ. Coupez les pommes de terre en petits cubes.

- Dans une grande casserole à fond épais, faites fondre 30 g de beurre, versez les poireaux coupés et faites-les revenir, à feu moyen, jusqu'à ce qu'ils deviennent transparents. Ajoutez 1 l à 1 l 1/2 d'eau froide, puis les pommes de terre coupées en dés et 1 c. à soupe rase de gros sel. Couvrez la casserole, laissez cuire 30 min.
Servez la soupe telle quelle avec de la crème fraîche. Parsemez-la de pluches de cerfeuil ou de ciboulette hachée.

LES POMMES DE TERRE

Quelle que soit la variété, achetez-les fermes, sans germes ni trop d'« yeux », d'une couleur franche et sans taches vertes, signes d'une exposition trop longue à la lumière.

350 Quelle variété de pommes de terre faut-il acheter en fonction de leur préparation ?

- *Pour la purée, les soupes, les pommes frites* : les pommes de terre à chair farineuse, dites de consommation courante, dont la forme est plutôt arrondie – bintje et hollande.
- *Pour les pommes de terre sautées, en robe des champs, les gratins, les salades chaudes ou froides* : les pommes de terre à chair ferme, qui ne se défont pas à la cuisson, dont la forme est plutôt allongée – BF 15, belle-de-Fontenay, roseval, ratte, charlotte.

351 Comment conserver les pommes de terre ?

- À l'abri de la lumière, qui les fait verdir et les rend amères et impropres à la consommation.

Choisissez un endroit obscur, sec et aéré. Couvrez-les de papier journal.

352 Quelle quantité de pommes de terre faut-il compter par personne ?

- 200 à 250 g, quelle que soit leur préparation, c'est-à-dire, selon la variété, 3 à 4 moyennes, 5 à 6 petites.

353 Comment faire des pommes de terre sautées sans qu'elles attachent à la poêle ?

- Épluchez-les, coupez-les en rondelles ou en dés et plongez-les 5 min dans de l'eau bouillante non salée avant de les faire sauter à la poêle : elles n'attacheront pas car elles auront perdu dans l'eau une partie de l'amidon qu'elles contiennent.

354 Comment faire sauter des pommes de terre ?

- Faites-les blanchir, égouttez-les dans une passoire, puis séchez-les soigneusement sur un linge ou du papier absorbant (l'huile n'aime pas l'eau).
- Faites chauffer 2 c. à soupe d'huile (pour 1 livre de pommes de terre) dans une poêle, à feu vif. Versez les pommes de terre. Agitez souvent la poêle dans un mouvement de va-et-vient pour éviter que le fond de la poêle ne chauffe trop et les brûle. Retournez-les plusieurs fois avec une spatule à manche coudé. Ne couvrez pas la poêle : elles deviendraient molles. Salez-les seulement en fin de cuisson. Éliminez l'huile de cuisson. Ajoutez 1 noix de beurre frais. Servez-les très chaudes.

355 Quel est le temps de cuisson des pommes de terre sautées ?

- De 10 à 15 min, à feu vif, selon l'épaisseur des morceaux et la quantité à cuire.

356 Comment faire des frites croustillantes ?

- Plongez-les une première fois dans le bain de friture chaude pour les saisir : une légère croûte va se former à la surface. Laissez-les cuire quelques minutes. Retirez-les, laissez-les s'égoutter.
- Plongez-les une seconde fois jusqu'à ce qu'elles soient dorées et croustillantes.
- Ne mettez pas trop de pommes de terre à la fois dans le bain d'huile pour ne pas le refroidir subitement. Si les convives sont nombreux, procédez en plusieurs fois et servez les frites au fur et à mesure.

> **Bon à savoir : Pour savoir à quel moment le bain de friture est à point, plongez dedans une frite témoin – si elle remonte à la surface en quelques secondes et si l'huile bouillonne tout autour, la température du bain est suffisante.**

357 Comment servir les frites ?

- En les sortant du second bain de friture, égouttez-les sur un linge ou du papier absorbant : elles seront moins grasses. Saupoudrez-les aussitôt de sel fin.

358 **Que signifie l'expression « pommes de terre en robe des champs » ?**

- Elle signifie que les pommes de terre sont cuites dans leur peau et servies telles quelles.
- Lavez-les d'abord soigneusement et brossez-les avec une petite brosse pour pouvoir les manger avec leur peau une fois cuites.

359 **Comment cuire des pommes de terre en robe des champs ?**

- Vous avez le choix entre 5 façons : à l'eau, au four, à la vapeur, dans un ustensile en terre appelé diable, ou dans les cendres chaudes d'un feu de bois.
Quel que soit le mode de cuisson, choisissez les pommes de terre de même taille pour qu'elles cuisent de façon identique, et de préférence assez grosses : elles seront plus moelleuses.

360 **Quel est le temps de cuisson des pommes de terre en robe des champs ?**

- 30 à 45 min selon leur grosseur et le mode de cuisson choisi.

361 **Comment savoir si les pommes de terre en robe des champs sont cuites ?**

- Traversez-les de part en part avec la lame d'un couteau : si elles ne rencontrent aucune résistance, les pommes de terre sont cuites à point.

362 Quel ustensile utiliser pour réduire les pommes de terre en purée ?

- Un moulin à légumes ou un presse-purée, mais pas d'appareil électrique qui donnerait une purée collante.

363 Comment faire attendre une purée de pommes de terre sans qu'elle se dessèche ?

- À l'aide d'une cuillère en bois, ramenez-la au centre du récipient. Égalisez-la à plat, versez par-dessus 2 ou 3 c. de lait chaud. Laissez celui-ci se répandre, et ne remuez pas.
- Couvrez le récipient, maintenez-le au chaud dans un bain-marie ou gardez-le à feu très doux en mettant un diffuseur de chaleur sous le récipient.
- Au moment de servir, fouettez quelques secondes le lait et la purée.

364 Comment utiliser un reste de purée de pommes de terre ?

- Ajoutez 1 œuf entier, mélangez-le à la purée en le fouettant à la fourchette, puis parsemez sur la surface 1 ou 2 c. à soupe de farine : mélangez délicatement pour éviter de faire des grumeaux ; la pâte obtenue doit être un peu épaisse.
- Versez de l'huile dans une poêle, faites-la chauffer à feu moyen. Pour vérifier sa température, mettez dedans un petit peu de pâte : si la pâte remonte en quelques secondes à la surface et si l'huile bouillonne tout autour, la température est bonne.
- Prenez 1 c. à soupe de pâte et glissez-la dans l'huile chaude en poussant la pâte à l'aide d'une petite cuillère. La pâte se répandra dans la poêle comme un galet.

Faites cuire 3 ou 4 de ces beignets à la fois, 2 min de chaque côté : ils doivent être gonflés et dorés. Déposez-les au fur et à mesure dans un plat tapissé d'un linge ou de papier absorbant qui recevra l'excès d'huile. Salez chaque beignet d'1 ou 2 pincées de sel fin. Servez-les chauds.

365 Comment rattraper le dessus d'un gratin de pommes de terre qui a brûlé au four ?

- Enlevez toutes les parties noircies. Versez 2 c. à soupe de crème fraîche sur la surface du gratin, et remettez-le au four quelques minutes. Procédez de même si le dessus du gratin n'a pas brûlé mais semble desséché : il redeviendra onctueux.

366 Quel est le temps de cuisson d'un gratin de pommes de terre ?

- 50 min environ, dans un four préchauffé 15 à 20 min, thermostat 6 ou 7.

LES POIVRONS
Choisissez-les lisses, fermes, à la peau brillante et sans taches. Plus ils sont colorés, plus ils sont parfumés.

367 Quelle différence y a-t-il entre un poivron rouge et un poivron vert ?

- Il ne s'agit pas de deux espèces différentes : le poivron vert est un poivron rouge cueilli avant maturation, il rougira en mûrissant. On trouve aussi des poivrons jaunes très doux.

Comment enlever facilement la peau des poivrons ?

Achetez des poivrons pas trop tordus, leur peau est plus facile à enlever.
- Couvrez d'une feuille d'aluminium la plaque du four, allumez-le et, dès qu'il est chaud (thermostat 7), mettez les poivrons entiers essuyés, pendant environ 30 min. Leur peau va brunir et se gonfler. Tournez-les pendant la cuisson.
- Sortez-les du four puis mettez-les dans un sac en plastique que vous refermez. Laissez-les ainsi 30 min au moins : ils vont refroidir dans leur jus et leur peau s'en ira plus facilement.
- Retirez-les du sac. Posez-les tour à tour sur une planche, tirez l'attache verte, ouvrez-les et enlevez les graines, que vous jetez.
- Retournez chaque poivron sur la planche et tirez la peau avec le plat d'un couteau. Si la peau s'enlève difficilement à certains endroits, retournez le poivron et glissez la lame du couteau entre la chair et la peau.

LES RADIS
Achetez les meilleurs : ceux cultivés en pleine terre, que l'on trouve sur les marchés d'avril à septembre. En hiver, ils poussent en serre et manquent de goût...

369 Comment préparer les radis roses ?

- Vous pouvez les servir tels quels, après les avoir lavés, triés et débarrassés de leur petite queue blanche.
- Vous pouvez aussi les couper en fines rondelles et les assaisonner avec une sauce vinaigrette et de l'estragon finement ciselé par-dessus. Parsemez cette salade de quelques feuilles vertes et tendres de la botte.

370 **Comment obtenir des radis en forme de fleur ?**

- Lavez soigneusement les radis. Coupez la petite queue blanche. Avec un couteau, entaillez en forme de croix le bout blanc et laissez-les tremper environ 10 min dans une bassine remplie d'eau fraîche jusqu'à ce qu'ils s'ouvrent comme des fleurs.
Décorez vos plats de crudités avec des radis. Pour qu'ils tiennent debout, coupez à ras la tige verte : ils auront une base stable.

> **Bon à savoir : Pour garder des radis croquants, trempez les feuilles de la botte dans un saladier rempli d'eau fraîche en laissant la tête des radis hors de l'eau, comme si c'étaient des fleurs. Ils se garderont plusieurs jours, sous réserve de changer l'eau quotidiennement.**

LES SALADES VERTES
Choisissez-les fermes, d'une belle couleur franche, sans feuilles extérieures flétries ni jaunies.

371 **Comment conserver la salade verte ?**

- Lavez-la soigneusement deux fois dans une bassine d'eau froide. Essorez-la dans une essoreuse à salade. Enfermez-la dans un sac en plastique et placez celui-ci dans la partie haute du réfrigérateur, la plus froide. La salade restera fraîche et croquante plusieurs jours.

Comment récupérer une salade qui a fané ?

- Ôtez les premières feuilles du tour trop flétries et jaunies. Détachez toutes les autres et laissez-les tremper quelques minutes dans de l'eau chaude. Rafraîchissez-les ensuite dans de l'eau froide. La salade redeviendra ferme et croquante.

 Comment découper des feuilles de salade en lanières ?

- Superposez plusieurs feuilles, roulez-les ensemble.
- Posez ce rouleau sur une planche et, avec un couteau, détaillez-le en fines lanières. Échevelez celles-ci pour leur redonner du volume.
Si vous n'utilisez pas tout de suite la salade, gardez-la au frais dans le réfrigérateur.
Cette chiffonnade décorera joliment le plat de hors-d'œuvre.

 Comment cuire les salicornes (ou perce-pierre, criste-marine, ou simplement haricots verts de la mer) ?

- Ces légumes verts au goût iodé nécessitent juste 5 min de cuisson.
- Plongez-les dans de l'eau bouillante non salée, ne couvrez pas. Servez-les tels quels ou faites-les revenir dans la poêle 2 min à feu doux avec un peu de beurre fondu.

375 Comment choisir et préparer les germes de soja ?

- Ils doivent être très frais, rigides et bien blancs, sans traces noires ou marron, avec un petit bout d'écorce verte.
- Enlevez leur écorce verte. Lavez-les deux fois dans de l'eau fraîche. Ajoutez au dernier lavage 2 c. à soupe de vinaigre blanc.

376 Comment cuire les germes de soja ?

- Quelle que soit leur utilisation, il faut les blanchir : les plonger 2 min dans de l'eau bouillante salée.
- Égouttez-les au travers d'une passoire, rafraîchissez-les sous l'eau froide puis achevez de les égoutter sur un linge.
- Pour les servir chauds, faites-les sauter à la poêle dans un peu de beurre fondu mais pas plus de 3 à 4 min car alors ils perdraient ce croquant qui fait tout leur charme.

377 Quelle quantité de soja faut-il compter par personne ?

- 80 g pour 1 salade.
- 100 à 150 g comme légume d'accompagnement.

LES TOMATES

Leur saison va de mai à octobre. Gorgées de soleil en septembre, c'est le meilleur moment pour en faire des conserves. À partir de novembre, elles sont souvent farineuses et sans goût car elles sont cultivées en serre.

378 Comment éplucher et épépiner les tomates ?

- Faites une légère incision en forme de croix sur le fond de chaque tomate avec la pointe d'un couteau.
- Plongez-les 10 s, pas plus, dans une casserole d'eau bouillante non salée puis versez-les dans une passoire posée dans l'évier et rafraîchissez-les sous l'eau froide.
- Tirez sur la peau avec le plat du couteau et enfoncez la pointe dans le creux de l'attache verte pour enlever la petite partie dure.
- Coupez les tomates en deux dans le sens horizontal et, avec une petite cuillère, enlevez toutes les graines dans chaque cavité.
La peau et les graines ne sont pas très digestes, elles ne fondent pas à la cuisson et les tomates épluchées et épépinées sont plus agréables à manger et plus délicates au palais.

379 Comment utiliser les tomates une fois épluchées ?

- Coupez leur chair en petits dés d'environ un 1/2 cm. Salez avec du sel fin.
- Servez *les tomates concassées crues*, en légume d'accompagnement d'une papillote, ou arrosées d'huile d'olive, comme légume d'accompagnement d'un poisson froid ou chaud. Comptez 1 c. à café d'huile par tomate. Parsemez de basilic finement haché.
- Servez *les tomates concassées chaudes* en les faisant juste revenir quelques minutes dans une poêle avec un peu de beurre ou d'huile. Ajoutez une gousse d'ail écrasée si vous aimez. Utilisez-les ainsi sur des pâtes, pour un coulis de tomates, des sauces, des ratatouilles et tous les plats à base de tomates.

> **Bon à savoir : N'hésitez pas à saupoudrer généreusement la salade de tomates de persil haché qui enlève l'acidité.**

 Comment utiliser la chair des tomates qu'il faut vider pour les farcir ?

- Faites-la fondre dans une petite casserole, passez-la au travers d'un tamis pour éliminer les graines.
Ajoutez-la à une soupe de légumes ou servez-la en sauce d'accompagnement des tomates farcies.

> **Bon à savoir : Pour ôter l'acidité d'une sauce tomate, ajoutez pendant la cuisson 1 petite c. à café de sucre en poudre.**

L'AVOCAT
Ce fruit venu d'Amérique centrale ne doit avoir aucune tache ni point noir sur sa peau.

 Comment faire mûrir un avocat trop ferme ?

- En l'enveloppant dans du papier journal et en le laissant à température ambiante.

382 Comment savoir quand un avocat est mûr ?

– Il doit être légèrement souple sous la pression du doigt et vous devez, en le secouant, entendre bouger le noyau.

383 Comment empêcher un avocat de noircir dès qu'il est coupé ?

– Arrosez-le aussitôt de jus de citron. Retournez-le côté coupé sur une assiette pour éviter tout contact avec l'air. La chair de l'avocat s'oxyde vite à l'air, préparez-le au dernier moment. Éliminez soigneusement toutes les taches et points noirs.

384 Comment conserver aux légumes frais toutes leurs propriétés ?

– Après les avoir épluchés, ne les laissez pas tremper trop longtemps dans l'eau. Si vous voulez gagner du temps et les éplucher le matin pour le soir, égouttez-les et enroulez-les dans un linge. Gardez-les au réfrigérateur.
– Si vous avez choisi de les cuire à l'eau, ne jetez pas leur eau de cuisson, qui contient une bonne partie des substances utiles (vitamines, sels minéraux). Utilisez-la pour les potages à la place de l'eau du robinet.

385 Comment conserver, en général, tous les légumes frais ?

– À l'abri de la lumière, au frais. Le mieux est dans le bac à légumes dans le bas du réfrigérateur.

386 **Comment conserver les légumes secs ?**

- Dans des bocaux en terre, en fer... à fermeture hermétique pour éviter qu'ils se dessèchent à l'air ambiant. Si vous n'utilisez pas tout le contenu de la boîte de légumes secs, transvasez ce qui reste dans un bocal.

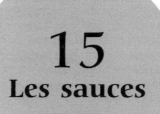

15
Les sauces

387 Comment préparer une sauce béchamel ?

- Faites fondre sur feu doux 50 g de beurre dans une casserole. Dès qu'il est fondu, versez d'un seul coup 50 g de farine, mélangez rapidement avec une cuillère en bois.
- Retirez la casserole du feu quand le mélange commence à mousser. Versez peu à peu sur celui-ci 50 cl de lait froid sans cesser de remuer la sauce, jusqu'à ce qu'il ne reste plus de particules de beurre ni de farine collées au fond de la casserole.
- Remettez la casserole sur feu doux et, toujours sans cesser de remuer, laissez cuire 10 min en évitant de faire bouillir.
- Assaisonnez avec 4 ou 5 pincées de sel fin, du poivre et une pointe de noix muscade râpée.

388 Comment réussir une sauce béchamel ?

Utilisez une casserole à fond épais, la sauce béchamel ayant fréquemment tendance à attacher si le fond est trop mince.
- Dès le début et pendant toute la durée de la cuisson, la sauce doit cuire sur feu doux. Soyez patient pendant 10 min.
- Aussitôt le lait ajouté, remuez sans interruption avec une cuillère en bois pour que la sauce soit lisse, sans grumeaux, et n'accroche pas au fond de la casserole.

Bon à savoir : Si la sauce béchamel doit attendre un peu avant d'être utilisée, et pendant qu'elle est encore chaude, couvrez-la d'un papier aluminium huilé ou beurré, côté gras sur la surface de la sauce, pour éviter qu'il se forme une croûte.

389 À quel moment ajouter éventuellement du fromage dans une sauce béchamel ?

- Au dernier moment, dans la sauce chaude : râpé, le fromage fondra rapidement. Mais ne faites plus bouillir la sauce, sinon elle deviendrait filandreuse.

390 Comment réchauffer une sauce béchamel ?

- Au bain-marie : en plaçant le récipient qui la contient dans une casserole remplie aux 2/3 d'eau chaude. Si vous la réchauffez directement sur le feu, elle sera pleine de grumeaux.

391 Comment réussir une mayonnaise ?

Si vous n'avez pas de batteur électrique, utilisez un fouet à main pour la monter, mais ni cuillère en bois ni fourchette.
- L'œuf et l'huile doivent avoir la même température. L'œuf sera donc trop froid si vous le sortez directement du réfrigérateur : faites-le tiédir quelques minutes dans une tasse remplie d'eau chaude.

- Mettez 1 c. à café de moutarde dans un grand bol ou un récipient à fond étroit, tournez la moutarde en ajoutant 1 c. à café d'huile, mélangez-les jusqu'à ce que le mélange devienne bien lisse.
- Ajoutez le jaune d'œuf tout en continuant à tourner avec le fouet à main. Puis versez l'huile en un mince filet continu sans cesser de tourner. Comptez environ 25 cl d'huile.
- Dès que la mayonnaise est ferme, ajoutez la valeur d'1 c. à café de vinaigre. Arrosez de 5 à 6 pincées de sel, poivrez.

> **Bon à savoir : Une mayonnaise maison ne se conserve pas, même au réfrigérateur. Servez-la à un seul repas. S'il en reste, jetez-la. Seule la mayonnaise préparée avec de l'huile de tournesol peut se conserver au réfrigérateur.**

392 Comment rattraper une mayonnaise ratée ?

- Ne la jetez pas. Prenez un grand bol, mettez au fond 1 c. à café de moutarde puis ajoutez 1 c. à café de mayonnaise ratée, fouettez rapidement avec le fouet à main, versez un peu d'huile en un mince filet, puis de la mayonnaise, puis à nouveau de l'huile en la versant toujours en un mince filet, et ainsi de suite sans cesser de remuer avec le fouet à main.

Bon à savoir : Pour servir une mayonnaise avec du poisson, préparez-la au citron plutôt qu'au vinaigre et ne mettez pas de moutarde.

393 Comment conserver un pot de moutarde après l'avoir ouvert ?

- Au réfrigérateur, le couvercle bien vissé sur le pot : la moutarde se conservera plusieurs semaines. Passé un certain délai, elle va brunir, sécher et ne sera plus très goûteuse. Un pot de moutarde non ouvert se conserve dans un placard plusieurs mois.

394 Pourquoi utiliser les moutardes aromatisées ?

- Pour parfumer de façon différente une sauce vinaigrette et offrir à vos invités une jolie variété de moutardes aux divers parfums : moutarde à l'ancienne aux grains entiers, moutarde violette au moût de vin de Brives, moutarde au poivre vert, à l'estragon...

395 Comment préparer une sauce mousseline ?

- Confectionnez une sauce mayonnaise puis, dès qu'elle est ferme, ajoutez-lui un blanc d'œuf monté en neige. Mélangez délicatement le tout pour obtenir une sauce onctueuse.

396 **Comment conserver le vinaigre ?**

- À l'abri de la lumière, à température ambiante. Si un voile ou des dépôts se sont formés dans le vinaigre, passez-le dans une passoire recouverte d'un linge fin et reversez-le dans une bouteille propre.

397 **À quoi sert le vinaigre d'alcool ou le vinaigre blanc ?**

- Aux conserves de cornichons, de champignons ou de tout autre légume. Il n'est pas utilisé dans la sauce vinaigrette.

> **Bon à savoir : Le vinaigre d'alcool nettoie les cuivres, il fait briller l'argenterie, tous les cristaux et aussi les miroirs.**

398 **Quel vinaigre utiliser pour la sauce vinaigrette ?**

- Un vinaigre qui a une saveur un peu puissante. Le meilleur est le vinaigre de vin vieux, mais vous pouvez mélanger plusieurs vinaigres, par exemple du vinaigre de vin vieux avec du vinaigre de Xérès et un peu de vinaigre balsamique.

399 **Qu'est-ce que le vinaigre balsamique ?**

- Un vinaigre fabriqué à Modène, en Italie. C'est un vinaigre très concentré qui vieillit pendant des dizaines d'années dans plusieurs fûts de bois. Il s'utilise avec modération : quelques gouttes suffisent à parfumer une sauce vinaigrette ou déglacer une sauce (côte de porc, magret de canard, foie de veau, foies de volailles…).

> **Bon à savoir : Pour déglacer une sauce, retirez les aliments que vous avez mis à cuire, jetez la graisse de cuisson et parsemez le récipient de gouttelettes de vinaigre balsamique et d'1 c. à café de vinaigre de vin. Grattez les sucs accrochés à la poêle, ajoutez un filet de vin blanc ou de l'eau et faites bouillir le jus. Il sera encore meilleur si on ajoute, au dernier moment, des noisettes de beurre frais que l'on fouette sans cesse dans le jus obtenu.**

 400 Comment préparer une sauce rémoulade ?

- Confectionnez une sauce mayonnaise.
- Ajoutez-lui des cornichons et des câpres hachés finement (un petit flacon de câpres et 5 à 6 cornichons pour 25 cl d'huile) et un mélange de fines herbes finement ciselées (2 c. à soupe : cerfeuil, persil, ciboulette, estragon). Cette sauce constitue l'accompagnement idéal du pot-au-feu et des poissons frits, grillés ou pochés.

401 Quelles sont les bonnes proportions pour réussir une vinaigrette ?

- 1 c. à soupe de vinaigre pour 3 c. à soupe d'huile, du sel et du poivre.

- Commencez à faire dissoudre le sel fin dans le vinaigre (le sel ne fond pas dans l'huile) en le remuant avec les couverts à salade ; ajoutez l'huile et fouettez le mélange quelques minutes pour le rendre homogène
- Si vous aimez **la sauce vinaigrette avec de la moutarde**, diminuez la quantité de sel. Mélangez bien la moutarde au vinaigre avant d'ajouter l'huile.
- Si vous voulez remplacer le vinaigre par du citron, supprimez la moutarde.
- Saupoudrez généreusement vos salades de fines herbes ciselées (1 c. à soupe de persil, ciboulette, ou 1 c. à café d'estragon). Ajoutez dans la vinaigrette de l'ail écrasé ou des échalotes hachées finement.

 Que signifie « lier une sauce » ou un jus ?

- C'est leur donner une consistance et de l'onctuosité en y ajoutant, suivant la recette, des jaunes d'œufs, du beurre, de la farine ou du sang (pour le civet de lièvre ou tout autre gibier en sauce).
Quand vous ajoutez la liaison à une sauce ou un jus, agitez la casserole en lui donnant un mouvement de va-et-vient sur le feu pour éviter que le fond de la casserole chauffe trop et pour bien mélanger liaison et sauce ou jus.

> **Bon à savoir : Une liaison se fait juste quelques minutes avant de servir le plat, une sauce liée ne devant ni bouillir ni cuire. Seule exception, une liaison à la farine, qui doit cuire environ 10 min.**

Comment lier une sauce avec des jaunes d'œufs ?

- Ne versez jamais les jaunes d'œufs directement dans la sauce, vous risqueriez de la voir remplie de filaments d'œuf.
- Retirez une louche de sauce chaude, mettez-la dans un grand bol, laissez-la refroidir quelques minutes avant de la délayer avec le ou les jaunes d'œufs.
- Versez ce mélange dans la casserole, réchauffez la sauce à feu très doux sans cesser de remuer, mais ne faites plus bouillir la sauce. Seules les sauces contenant de la farine peuvent bouillir sur feu doux.
- 1 jaune d'œuf suffit pour lier une sauce pour 4 à 6 personnes.

 Comment lier une sauce ou un jus avec du beurre ?

- Coupez le beurre en petits morceaux sur une assiette. Arrêtez le feu sous la casserole ou le plat de cuisson, et ajoutez les morceaux un par un dans la sauce très chaude tout en les fouettant.
Faites cette liaison très rapidement et juste au moment de servir car elle ne doit plus bouillir.

 Comment épaissir une sauce trop liquide ?

- Enlevez les aliments de la casserole avec une écumoire. Gardez-les au chaud dans un plat en les couvrant d'une feuille de papier aluminium.
- Faites bouillir la sauce à gros bouillons pour la laisser réduire jusqu'à ce que vous ayez obtenu la quantité nécessaire à votre plat.
- Si malgré tout la sauce reste encore trop liquide, ajoutez-y un beurre manié.

406 Qu'est-ce qu'un beurre manié ?

Un mélange de beurre frais et de farine qui vous aidera à épaissir une sauce trop liquide. Comptez 20 g de farine pour 25 g de beurre.
- Mettez la farine dans un grand bol, ajoutez le beurre frais découpé en petits morceaux, mélangez-les du bout des doigts quelques minutes. Ajoutez une louche de sauce chaude, remuez avec une cuillère pour bien mélanger l'ensemble.
- Versez dans la sauce et laissez cuire à feu moyen environ 10 min pour enlever le goût de farine.
- Remettez les aliments à chauffer dans la sauce.

407 Comment allonger une sauce trop épaisse ?

- Ajoutez-y 1 ou 2 verres du liquide que vous avez utilisé pour la faire.

408 Comment rattraper une sauce trop salée ?

- Épluchez 2 ou 3 pommes de terre. Coupez-les en grosses rondelles, ajoutez-les à la surface de la sauce. Laissez-les cuire 5 min : elles absorberont une partie du sel. Retirez-les avec une écumoire.

409 Comment réussir un beurre blanc ?

En le montant au bain-marie avec un fouet. Vous obtiendrez ainsi une sauce mousseuse. Comptez environ 15 min pour préparer et réussir cette sauce.
- Épluchez 3 échalotes, coupez-les en deux, posez le côté plat sur une planche et hachez-les finement en les maintenant de l'autre main.

- Mettez les échalotes hachées dans une petite casserole à fond épais, ajoutez 2 c. à soupe de vinaigre de vin blanc (rouge, il teinterait les échalotes en rose et le beurre blanc se doit d'être servi blanc). Ajoutez 4 ou 5 pincées de sel fin et poivrez de deux ou trois tours du moulin à poivre.
- Mettez la casserole sur feu doux et laissez réduire jusqu'à ce qu'il ne reste plus qu'1 c. à soupe de liquide sirupeux. Ne quittez pas la casserole des yeux car la réduction du vinaigre se fait en quelques minutes.
- Coupez 200 g de beurre en petits morceaux et disposez-les sur toute la surface d'une assiette. Posez l'assiette à proximité de la cuisinière.
- Versez de l'eau chaude dans une casserole aux 2/3 de sa hauteur, faites-la chauffer sur feu moyen, posez dedans la petite casserole contenant la réduction d'échalotes et de vinaigre. Ajoutez à celle-ci quelques noisettes de beurre. D'une main, tenez la queue de la casserole, de l'autre, fouettez le beurre. Ajoutez peu à peu les autres noisettes de beurre sans cesser de fouetter. Une fois la sauce faite, ne laissez pas la casserole dans l'eau du bain-marie : vous obtiendriez du beurre fondu.
Le beurre blanc n'attend pas une fois prêt car, s'il refroidit, il fige. Servez-le sans attendre.
Il accompagne merveilleusement les poissons pochés, grillés, cuits à la vapeur.

16
Les fruits

Comment conserver les fruits ?

- À l'abri de la lumière qui leur fait perdre une partie de leurs vitamines.
- Gardez-les dans un endroit frais, à plat sur des clayettes, sans les entasser. À défaut, dans la partie la moins froide du réfrigérateur, le bas, couverts, pour qu'ils conservent tout leur arôme. Étalez-les au maximum pour éviter qu'ils s'écrasent.
- Pour *les fruits rouges* très fragiles, comme les framboises, les groseilles, les fraises : sortez-les délicatement des caissettes en les renversant sur un plateau. Triez-les pour qu'aucun fruit un peu meurtri ne vienne gâter les autres.

 Combien de temps avant le repas faut-il sortir les fruits du réfrigérateur ?

- Environ 1 à 2 h pour qu'ils retrouvent leur arôme et pour éviter un contact glacé sur les lèvres.

Comment laver les fraises ?

- N'enlevez pas leur queue. Mettez-les entières dans une passoire sur pied et lavez-les rapidement sous l'eau froide. Séchez-les sur du papier absorbant, puis tordez légèrement la queue de chaque fraise pour retirer en même temps la queue et le cœur blanc.

**Bon à savoir : En été, un temps ora-
geux fait tourner les fraises, qui vi-
rent au rouge foncé et ne sont plus
bonnes. Si le temps est à l'orage, évi-
tez d'en acheter car elles ne seront
pas comestibles longtemps.**

413 **Quels fruits utiliser pour faire un coulis
(une purée de fruits) ?**

- Choisissez des fruits bien mûrs : fraises, framboises,
groseilles, pêches, abricots, mûres, myrtilles.

414 **Comment faire un coulis de fruits ?**

Pour 500 g de fruits frais, comptez 100 g de sucre glace
et le jus d'1 citron.
- Lavez les fruits (excepté les framboises), égouttez-les
dans une passoire sur pied. Enlevez le noyau des pêches,
des abricots, la peau des pêches (pour l'enlever facilement piquez la pêche au bout d'une fourchette et plon-
gez-la 1 min dans une casserole d'eau bouillante).
- Avec un mixeur, broyez quelques secondes les fruits
avec le sucre et le jus de citron ; sinon, écrasez-les dans
une jatte avec un presse-légumes et passez-les au travers d'un tamis fin pour enlever les pépins et la peau.
Conservez le coulis de fruits, qu'il faut servir bien frais,
au réfrigérateur.

> **Bon à savoir : Pour confectionner les coulis de fruits, utilisez du sucre glace, qui fond mieux, plutôt que du sucre en poudre.**

415 Comment choisir un melon ?

- Soupesez-en plusieurs avant d'en choisir un, et prenez celui qui est le plus lourd dans la main.
- Un bon melon doit avoir une peau épaisse, souple et sans taches ni meurtrissures.

416 Comment reconnaître un melon femelle ?

- Le côté opposé au pédoncule (queue du melon) porte un large cercle pigmenté.
Le melon femelle est le plus recherché parce qu'il est plus savoureux.

417 Comment conserver le melon ?

- Son parfum très fort imprègne les aliments avec lesquels il est en contact : il faut donc l'envelopper dans un sac en plastique fermé avant de le mettre au réfrigérateur, ou dans un endroit frais et aéré.

418 Comment déguster le melon ?

- À la fourchette et non à la cuillère : le dos de la cuillère, en appuyant sur la langue, fait perdre au melon la moitié de son goût subtil. Si vous servez des melons individuels ou coupés en deux, enlevez les graines et, avec une petite cuillère, détaillez la chair en petits morceaux. Le melon se sert frais, mais non glacé pour préserver tout son parfum.

 Quelles bananes choisir pour les flamber ?

- Uniquement des bananes fermes, pour éviter qu'elles ramollissent et ne s'écrasent en purée dans la poêle. Les bananes trop mûres sont parsemées de larges taches brunes.

> **Bon à savoir : Conservez les bananes dans un panier, à température ambiante et non au réfrigérateur car elles noircissent au froid. Les bananes continuent à mûrir après l'achat.**

 Faut-il peler les pêches ?

- À table, c'est préférable, mais c'est une affaire de goût.
- Si vous voulez préparer des pêches fraîches au sirop, une compote, ou les pocher dans du vin (un vin blanc doux de préférence), il est indispensable de les peler. Pour cela, incisez la base de chaque fruit avec un petit couteau. Plongez-les quelques secondes dans de l'eau bouillante, égouttez-les, puis rafraîchissez-les sous l'eau froide et retirez la peau.

Est-il possible de faire mûrir des abricots achetés un peu verts ?

- Non car, une fois cueilli, l'abricot ne mûrit plus. Achetez-les donc à point : d'une belle couleur jaune orangé, sans tache ni meurtrissure. Il existe toutefois une variété, le rouge du Roussillon, à la peau rouge orangé tachetée de petits points noirs.

422 Comment obtenir d'un citron le maximum de jus ?

- Roulez-le avec la paume de la main sur la table, afin de le ramollir et rompre sa pulpe.

423 Comment conserver un 1/2 citron coupé ?

- Posez le côté coupé sur une soucoupe et couvrez-le d'un verre retourné : il ne séchera pas.

424 Quelles variétés de poires choisir pour les poires au sirop, au vin ?

- Les poires à chair plutôt ferme : louise-bonne d'Avranches, drouillard (à peau vert roux), poires du curé. Elles ne révèlent leur saveur que cuites.
- Les williams, à la peau jaune constellée de points rouges, très sucrées et juteuses. C'est la variété utilisée pour les conserves de poires au sirop.

425 Comment savoir si une poire est blette ?

- À la consistance molle de la peau, souvent marquée de taches marron, signe qu'elle a été trop manipulée. La queue doit être bien attachée à la chair, sans auréole marron autour.

426 Quelles variétés de pommes choisir pour cuire un dessert ?

- Les boskop, à la peau rugueuse et mate, de couleur vert jaune, au goût acidulé.
- Les golden, à la chair sucrée mais peu parfumée.
- Les reines des reinettes, de couleur jaune d'or striée de rouge, à la chair fine, juteuse et sucrée.
- Les reinettes du Canada, à la peau gris-vert, au goût légèrement acidulé.
- Les reinettes clochard, de couleur jaune à jaune d'or, bien parfumées.

> **Bon à savoir :** On appelle « pommes en l'air » les pommes fruits, par opposition aux pommes de terre, quand elles sont servies en légume d'accompagnement des mets salés.

427 Comment préparer une compote de pommes ?

- Épluchez 1 kg de pommes (pour 4 personnes) en les citronnant au fur et à mesure afin d'éviter qu'elles noircissent. Coupez-les en quatre, enlevez pépins et parchemins. Détaillez les quartiers à nouveau en quatre.

- Mettez-les dans une casserole à fond épais. Ajoutez 2 c. à soupe d'eau froide et 2 de sucre en poudre. Mélangez bien avec une cuillère en bois. Couvrez et laissez cuire à feu doux environ 30 min. Surveillez la cuisson en remuant deux ou trois fois. S'il ne reste plus d'eau, ajoutez 1 c. à soupe d'eau froide pour éviter que la compote n'attache.
- Pour la parfumer, ajoutez une 1/2 gousse de vanille, 1 jus de citron, ou saupoudrez-la de cannelle (1 c. à café rase pour 1 kg de pommes).

 Quelles cerises choisir pour un clafoutis, une tarte ?

C'est selon votre goût :
- ***Les cerises dites anglaises***, aigres et acides, à la chair molle et juteuse : griottes, montmorency. Sucrez largement le dessus des gâteaux après cuisson.
- ***Les cerises noires*** charnues et sucrées : guignes, burlats.
Tartes et clafoutis seront meilleurs si vous ne dénoyautez pas les cerises. Toutefois, par précaution, prévenez vos invités !

> **Bon à savoir : Quelle est la différence entre une écorce de citron ou d'orange et un zeste ? Le zeste est l'écorce extérieure du fruit, séparée de la partie blanche plus ou moins épaisse située au-dessous.**

429 Comment préparer des zestes de citron ou d'orange ?

Utilisez uniquement des fruits non traités.
- Lavez-les soigneusement sous l'eau chaude en les brossant avec une petite brosse dure. Épluchez-les puis posez chaque épluchure à plat sur une planche pour la débarrasser de la chair blanche. Raclez la partie blanche amère pour obtenir un zeste transparent. Détaillez les zestes en fins bâtonnets. Utilisez-les tels quels ou confits.

430 Quelle différence y a-t-il entre un citron jaune et un citron vert ?

- La pulpe du citron vert est plus juteuse et beaucoup plus parfumée.
Mélangez les couleurs des zestes de citrons vert et jaune pour décorer ou parfumer les desserts.

431 Qu'appelle-t-on « peler à vif » les agrumes : citron, orange, pamplemousse, clémentine ?

- Peler à vif signifie les débarrasser de leur écorce et de leur peau blanche amère qui entoure chaque quartier. Les fruits ainsi pelés font des desserts raffinés.
Ils servent aussi d'accompagnement pour des viandes ou des volailles : des quartiers d'orange avec le canard, des pamplemousses avec le poulet, des citrons avec les escalopes de veau…
- Enlevez l'écorce des fruits et, avec le plat d'un couteau, tirez vers vous toute la peau blanche accrochée aux quartiers de fruits.

- Séparez chaque quartier et enlevez entièrement le reste de peau blanche qui les entoure. Retirez tous les pépins.
- Laissez sécher les quartiers pelés à vif sur du papier absorbant avant de les faire revenir à la poêle.

432 Comment choisir une mangue ?

La mangue est en général verte d'un côté et rose orangé de l'autre car, sur l'arbre, elle n'est éclairée que d'un côté par le soleil.
- Pour savoir si elle est mûre, tâtez le côté orangé : il doit être légèrement souple sous la main.

433 Comment déguster une mangue ?

- Coupez-la en deux avec un couteau en longeant le gros noyau allongé, puis faites pivoter les 2 moitiés jusqu'à ce qu'elles se détachent du noyau.
- Vous pouvez la déguster telle quelle à la petite cuillère ou, en gardant la peau, découper toute la chair en petits dés ou en losanges.

434 Comment choisir les litchis ?

- Une carapace épaisse et granuleuse les entoure : elle doit être de belle couleur rose foncé ; si elle est marron, les litchis sont vieux et flétris à l'intérieur.

435 Comment déguster les litchis ?

- Décortiquez-les à la main pour enlever leur carapace. Mangez-les tels quels, jetez le noyau dur.

- Ou ajoutez-les à une salade de fruits en les débarrassant de la peau et du noyau.

436 Comment choisir les kiwis ?

- Le kiwi est fragile car la peau qui l'entoure est très fine. Cette peau, d'une couleur vert-brun, est recouverte d'un léger duvet : elle ne doit avoir aucune trace de meurtrissure. Effleurez le kiwi entre le pouce et l'index : il doit être souple sous les doigts.

437 Comment déguster les kiwis ?

- Vous pouvez les couper en deux sans les débarrasser de leur peau et les manger à la petite cuillère comme 1 œuf à la coque.
- Ou bien enlever la peau avec un couteau et les découper en fines tranches ou en petits cubes pour les ajouter à une salade de fruits.

> **Bon à savoir : Une délicieuse recette plein été consiste à mélanger à des fraises coupées en quatre des rondelles de kiwi épluché. Arrosez de jus de citron et saupoudrez de sucre en poudre. Ajoutez quelques feuilles ciselées de menthe, puis dégustez.**

438 Comment déguster les kumquats ?

Ces petites oranges amères au parfum délicat se consomment avec la peau : mangez-les telles quelles, ou coupez-les en fines rondelles pour les ajouter à une salade de fruits.

 Faut-il faire tremper les pruneaux avant de les cuisiner ?

- Oui, car ils ont besoin d'être réhydratés. Mettez-les dans une jatte et recouvrez-les d'un thé léger ou tout simplement d'eau fraîche. Laissez-les tremper une nuit.
- Le lendemain, égouttez-les et séchez-les. Les pruneaux seront bien gonflés et moelleux.

 Comment conserver les grappes de raisin ?

- Elles doivent rester au frais. Conservez-les dans le bac à légumes du réfrigérateur, sortez-les 1 h avant de les servir. Si vous les laissez séjourner dans la corbeille à fruits, les grains vont très vite se flétrir.

> **Bon à savoir :** Au lieu de disposer des grappes entières de raisin dans une corbeille à fruits, pensez à les détailler d'abord en petits grappillons en les coupant avec des ciseaux.

 Comment déguster les fruits de la passion ?

- Avec un couteau, coupez-les en deux et dégustez à la petite cuillère leur chair jaune mélangée à une multitude de graines noires.
- Vous pouvez aussi presser la chair et les graines pour en faire des jus, des coulis.

Comment déguster la papaye ?

- Coupez-la en deux, enlevez les pépins noirs, arrosez la chair de jus de citron vert, saupoudrez de sucre semoule car la papaye, sorte de melon des tropiques, n'a pas beaucoup de goût.
- Vous pouvez aussi presser la chair pour en faire des jus.

 Comment servir une salade de fruits en lui donnant un goût exotique ?

- Pelez à vif des oranges, pamplemousses, séparez chaque quartier de sa peau. Épluchez comme une pomme de terre 1 cm de racine de gingembre frais (1 cm suffit pour une salade de 4 personnes) puis râpez-la au-dessus des fruits. Pressez le jus d'un citron vert. Mélangez la salade.
- Laissez-la macérer quelques heures au frais.
Au moment de servir, ajoutez 2 c. de sucre en poudre.
- Si vous ne trouvez que du gingembre en poudre, comptez la valeur d'1/4 de c. à café pour une salade de 4 personnes.
- Pour égayer la salade, ajoutez 1 ou 2 kiwis épluchés puis coupés en fines rondelles, 1 mangue découpée en petits cubes ou des kumquats en rondelles.

17
La pâtisserie

444 Comment préparer et réussir une pâte brisée ?

C'est la pâte la plus rapide à préparer : vous pouvez la faire en 2 min.

- Dans une jatte ou sur la table, versez 250 g de farine, creusez le centre avec le poing pour disposer la farine en fontaine, saupoudrez les bords de la fontaine avec 1 c. à café rase de sel fin et 1/2 c. à café de sucre en poudre.
- Ajoutez au centre de la fontaine 150 g de beurre ramolli coupé en petits morceaux et 1 œuf entier battu au préalable dans un bol.
- Du bout des doigts, rassemblez tous les ingrédients très rapidement pour ne pas rendre la pâte élastique puis, avec la paume de la main, poussez la pâte grossièrement rassemblée en appuyant dessus pour l'étaler et ajoutez 1 ou 2 c. à soupe de lait froid ou d'eau froide.
- Rassemblez la pâte en boule puis appuyez à nouveau dessus avec la paume pour l'étaler. Ce geste s'appelle « fraiser » : il permet de mieux mélanger le beurre et la farine.
- Formez une boule, enveloppez-la d'un linge ou de papier aluminium.
- Gardez-la au frais dans le réfrigérateur. Laissez-la reposer au minimum 2 h. La pâte sera meilleure si vous la préparez la veille.

Vous pouvez remplacer le beurre par le même poids de margarine.

445 Comment ramollir le beurre qui sort du réfrigérateur pour le travailler dans des pâtes à gâteaux ?

- Placez le beurre entre deux feuilles de plastique (ou à l'intérieur d'un sac en plastique) et écrasez-le avec le rouleau à pâtisserie jusqu'à ce qu'il ramollisse et soit plus facile à travailler.

- Ne l'écrasez pas sur du papier aluminium ou dans son emballage car, en l'aplatissant avec le rouleau, l'aluminium se déchirerait et s'incrusterait partout dans le beurre. Vous pouvez aussi racler la plaque de beurre avec un couteau éplucheur : vous obtiendrez des lamelles fines de beurre ramolli.

 Pendant combien de temps peut-on garder une pâte brisée au réfrigérateur ?

- 1 semaine, bien emballée dans un linge ou du papier aluminium.

 Comment beurrer uniformément un moule ?

- Écrasez 1 ou 2 noisettes de beurre ramolli sur un morceau de papier aluminium (ou un bout de l'emballage du beurre) puis étalez-le de façon égale sur toute la surface du moule, sans oublier les bords.

Il est important de beurrer uniformément un moule car, si le beurre fait défaut à un endroit, la pâte attache au moule ; si, par contre, il y en a trop, la pâte fond et s'agglomère en petites boules.

- Farinez légèrement le moule après l'avoir beurré.

 Comment fariner un moule ?

- Versez 1 c. à soupe de farine dans un tamis fin et saupoudrez tout le moule beurré en tapotant légèrement les bords du tamis.

- Retournez le moule pour enlever l'excédent de farine.

> **Bon à savoir :** Les moules à revêtement antiadhésif sont très pratiques car, comme leur nom l'indique, ils n'attachent pas. Si vous les utilisez, il n'est pas nécessaire de les badigeonner de beurre ni de les fariner. Par contre, c'est indispensable pour tous les autres moules (tôle, aluminium, porcelaine à feu, verre…).

 Quel rouleau utiliser pour étaler la pâte ?

Un rouleau en buis ou en hêtre, sans poignée.
Si vous utilisez un rouleau avec des poignées, vous aurez tendance à écraser la pâte en pressant trop sur elles.
- Pour utiliser aisément un rouleau qui n'en possède pas, posez les paumes de la main à plat à chaque extrémité, puis imprimez un mouvement de va-et-vient.

 Comment empêcher la pâte de coller au rouleau à pâtisserie ou à la table ?

- Saupoudrez la table (le plan de travail) de farine et roulez le rouleau à pâtisserie dans la farine.
- S'il fait très chaud dans votre cuisine, rafraîchissez la table à l'endroit où vous allez étaler la pâte : posez dessus un sac en plastique rempli de glaçons pendant 10 min, mais n'attendez pas que les glaçons fondent car la table ne doit pas être mouillée. Essuyez-la soigneusement avant d'étaler la pâte.

Comment étaler la pâte ?

- Sortez la boule de pâte du réfrigérateur au moins 30 min avant de l'étaler. Elle doit être un peu souple et jamais dure.
- Farinez la table et le rouleau. Avec celui-ci, commencez par écraser de façon uniforme la boule de pâte sur toute sa surface pour lui donner la forme d'un galet rond et plat. À vue d'œil, mesurez le diamètre du moule sans oublier de compter les bords, puis continuez d'étaler la pâte toujours de façon uniforme.
Si la pâte a tendance à accrocher à la table, décollez-la en glissant dessous la lame d'une spatule ou d'un grand couteau et tournez-la d'un quart de tour.

> **Bon à savoir : Pour garnir un moule sans casser la pâte, posez le rouleau sur le bord de la pâte, enroulez celle-ci autour. Transportez-la au-dessus du moule, au centre, puis déroulez-la délicatement dans le moule.**

452 Comment garnir facilement un moule à tarte ?

En utilisant le rouleau à pâtisserie.
- La pâte est étalée sur la table, posez le rouleau au centre du disque de pâte puis, à l'aide d'une spatule (ou avec vos deux mains), soulevez la moitié du disque de pâte et rabattez-le sur l'autre partie de pâte.
- Sans attendre, transportez le rouleau au-dessus du moule, placez-le au centre du moule, posez le premier demi-disque de pâte sur le moule et déroulez la pâte du

rouleau pour que le second demi-disque s'étale sur l'autre partie du moule.
- Afin de bien faire adhérer la pâte, posez l'index à plat et longez tout le tour du moule en appuyant la pâte contre ses bords.
- Coupez l'excédent de pâte qui dépasse des bords du moule en passant le rouleau à pâtisserie dessus.
- Piquetez toute la surface de la pâte avec les dents d'une fourchette.

453 Comment empêcher les bords d'une tarte de se rétrécir à la cuisson ?

- Il ne faut pas mettre le moule garni de pâte directement dans le four préchauffé mais prendre soin de le garder 20 min dans le réfrigérateur, ou 3 min dans le congélateur : ainsi le beurre contenu dans la pâte va redurcir, la pâte va bien adhérer au moule et les bords ne s'affaisseront pas à la cuisson.

454 Que faire si la pâte brisée est cassante ?

- Vous avez sans doute mis trop de farine ou pas assez d'eau ou de lait dans la pâte en la confectionnant. Essayez de la rattraper en parsemant dessus quelques gouttelettes d'eau avec le bout des doigts. Faites pénétrer celles-ci en poussant la pâte avec la paume de la main.

455 Que faire si la pâte est trop molle pour l'étaler ?

- Couvrez-la d'un linge et faites-la durcir au réfrigérateur pendant 1 ou 2 h.

Comment précuire un fond de tarte vide ?

- Garnissez le moule beurré et fariné avec la pâte. Piquez légèrement tout le fond avec les dents d'une fourchette sans le traverser de part en part.
- Découpez un rond plus large que le fond du moule dans une feuille de papier aluminium. Taillez dedans quelques franges ; posez-le sur la pâte et garnissez-le de légumes secs, conservés pour cet usage dans un bocal : le poids des légumes secs empêchera la tarte de boursoufler à la cuisson, et le papier aluminium vous permettra de les enlever d'un seul coup sans qu'ils adhèrent à la pâte.
Si vous devez garnir ensuite le fond de tarte précuit avec des fruits frais ou des fruits au sirop, ne piquez pas le fond de tarte car le jus rendu par les fruits le ramollirait.

 Pourquoi précuire un fond de tarte vide ?

- Pour qu'il garde son croustillant et ne soit pas détrempé par la garniture choisie.
La précuisson est valable pour toutes les tartes sucrées ou salées contenant soit des fruits frais (fraises, framboises...), soit des fruits au sirop, ou des préparations salées, cuites au préalable (champignons, légumes...).

458 **Quel est le temps de cuisson d'un fond de tarte vide ?**

- 15 à 20 min à four doux, dans un four préchauffé, thermostat 6 ou 7.

Comment disposer sur un fond de tarte des fruits qui possèdent un noyau (abricots, mirabelles, reines-claudes...) ?

- Coupez les fruits en deux à la main, avec un couteau si nécessaire, et enlevez le noyau.
- Disposez les fruits, le côté de la peau sur la pâte, serrez-les bien les uns contre les autres pour qu'ils perdent moins leur jus.
S'il faut laver les fruits, séchez-les soigneusement avant de les couper en deux pour qu'il ne reste plus d'eau.

> **Bon à savoir : Pour cuire une tarte aux fruits sans que le jus déborde ou traverse la pâte, ne piquez pas le fond de la tarte avec les dents d'une fourchette, mais saupoudrez-le uniformément avec 2 ou 3 c. à soupe rases de semoule de blé dur ou quelques biscottes écrasées au rouleau. Secouez le moule pour étaler semoule ou biscottes.**

460 Comment préparer une pâte à beignets ?

Les proportions de base sont :
- 125 g de farine tamisée (pour empêcher la formation de grumeaux) ;
- 1 c. à soupe d'huile ou de beurre fondu ;
- 25 cl d'eau tiède, de bière ou de lait tiédi (soit 2 verres ordinaires, type à moutarde) ;
- 1 pincée de sel (plus 1 pincée de sucre s'il s'agit d'une pâte à beignets sucrée).

La pâte sera plus légère si vous la laissez reposer au moins 2 h avant de l'utiliser : elle accrochera mieux aux aliments à enrober.
- Au moment de l'utiliser, ajoutez-y 1 blanc d'œuf battu en neige. Vous pouvez aussi y ajouter 1 jaune d'œuf ou 1 œuf entier, surtout s'il s'agit d'une pâte sucrée.

461 Comment délayer la pâte à beignets ?

- Commencez par mettre la farine tamisée au fond d'une jatte. Avec une cuillère en bois, pratiquez un trou au centre pour mettre à jour le fond du récipient, puis ajoutez le beurre fondu ou l'huile, le sel, 1 œuf entier ou juste le jaune. Mélangez ces ingrédients avec la cuillère en bois sans toucher à la farine.
- Amenez la farine par petites quantités à la fois dans le creux pour la mélanger très doucement, et commencez à verser au centre le liquide choisi en minces filets, toujours en tournant doucement la pâte pour incorporer peu à peu la farine qui reste. Gardez ce mouvement concentrique de la cuillère jusqu'à ce que la pâte soit bien lisse.
Il ne faut ni battre cette pâte ni la soulever avec la cuillère : elle n'attacherait pas aux aliments à frire.
- Couvrez la jatte d'un linge. Au moment d'utiliser la pâte, ajoutez le blanc d'œuf battu en le tournant doucement jusqu'à ce qu'il ne reste plus une seule parcelle de blanc visible.

462 Peut-on frire des fruits sans les enrober de pâte à beignets ?

- Non, car ils contiennent trop d'eau et ne peuvent être plongés directement dans le bain de friture : l'eau s'évapore à 100° et dissocie la friture.

> **Bon à savoir : Pour rendre une pâte à beignets plus légère, ajoutez au dernier moment 1 c. à café de levure chimique qui donnera des beignets gonflés et moelleux.**

463 Comment faire si la pâte à beignets est pleine de grumeaux ?

- Placez un tamis fin ou une passoire très fine au-dessus d'une jatte et versez la pâte dedans. Pressez les grumeaux avec le dos d'une cuillère en bois : la pâte redeviendra lisse.

464 Comment faire une pâte à choux ?

- Préchauffez le four à 220° (thermostat 7).
- Versez dans une grande casserole :
  - 12, 5 cl d'eau et 12, 5 cl de lait (soit un mélange d'eau et de lait de 25 cl) ;
  - 110 g de beurre ;
  - 1 c. à café rase de sel fin ;
  - 1 c. à café rase de sucre en poudre.
Posez la casserole à feu doux et, dès l'ébullition, retirez-la du feu.
- Sans attendre, versez d'un seul coup dans le liquide bouillant 140 g de farine. À l'aide d'une cuillère en bois, mélangez vivement l'ensemble jusqu'à ce que la pâte devienne lisse et homogène.
- Remettez la casserole sur feu doux et cessez de remuer la pâte. Faites-la sécher 1 min.
- Retirez la casserole du feu. Ajoutez dans la pâte 2 œufs entiers et mélangez-les en les fouettant au fouet.

- Dès que les œufs sont bien incorporés dans la pâte, ajoutez de nouveau 2 œufs et mélangez bien au fouet. La pâte est terminée.
- Pour faire les choux, utilisez une cuillère à soupe. Prélevez la pâte dans la jatte et glissez-la du bout du doigt sur une plaque à pâtisserie recouverte d'une feuille de papier sulfurisé. Espacez bien les choux les uns des autres car ils vont gonfler à la cuisson.

> **Bon à savoir : Très important, dès que la pâte à choux est faite, il faut la mettre à cuire.**

465 Quel est le temps de cuisson des choux ?

- Dans un four préchauffé à 200° (thermostat 6-7), le temps de cuisson varie selon la grosseur des choux : 30 min pour des gros choux, 20 min pour des petits choux.

> **Bon à savoir : La pâte à choux peut aussi être frite dans un bain d'huile de friture. Par exemple, mélangez à la pâte à choux 120 g d'un bon comté râpé (avec les gros trous d'une râpe) et, à l'aide d'une cuillère, glissez une boulette de pâte dans le bain d'huile chaud. Attention aux projections d'huile. Faites dorer les choux quelques minutes des deux côtés, puis retirez-les avec une écumoire et égouttez-les sur du papier absorbant. À déguster chaud.**

466 Comment empêcher la pâte à choux de s'affaisser après la cuisson ?

- À mi-cuisson des choux, placez une cuillère à soupe dans le coin de la porte du four pour la maintenir entrouverte : la vapeur s'échappera du four et la croûte des choux se desséchera légèrement : les choux seront bien gonflés et ne s'affaisseront pas.

467 Dans quelle poêle peut-on cuire des crêpes ?

- *La meilleure* : une poêle en tôle d'acier épaisse, au fond bien plat, qui saisit rapidement la pâte.
- *La plus pratique* : la poêle à revêtement antiadhésif, mais la cuisson de la crêpe doit se faire à feu plus doux à cause du revêtement ; les crêpes seront plus sèches car elles auront cuit plus longtemps.
- *Les perfectionnistes* utilisent une crêpière, poêle réservée à ce seul usage qui a l'avantage de durer plus longtemps puisqu'elle ne sert qu'à cela.
Quelle que soit la poêle utilisée, le fond doit être totalement plat.

> **Bon à savoir** : Vous pouvez remplacer le lait pour faire la pâte à crêpe par de la bière ordinaire, de l'eau ou, mieux encore, un mélange moitié eau moitié lait. Avec la bière, les crêpes sont légèrement soufflées.

468 Quelle matière grasse utiliser pour graisser la poêle ?

- De l'huile mélangée à un peu de beurre ou de sain-doux fondu.

469 Que mettre dans la pâte à crêpe pour la parfumer ?

- Les graines d'1 gousse de vanille fendue en deux ou de la vanille liquide ; 1 zeste râpé d'orange ou de citron ; de l'eau de fleur d'oranger ; de l'eau-de-vie blanche de fruits ou du marc.

470 Comment graisser la poêle entre chaque crêpe ?

- Avec un chiffon ou une boule de papier absorbant nouée au bout d'une cuillère en bois et maintenue par de la ficelle à rôti, ou avec un pinceau. Trempez-le dans un bol d'huile (ou dans du beurre fondu, mais atten-tion, si le beurre brûle dans une poêle trop chaude, c'est toxique), puis badigeonnez la poêle.
- Faites chauffer quelques secondes la poêle et la matière grasse avant d'y verser une louchette de pâte.

471 Comment garder les crêpes au chaud ?

- Disposez-les en pile sur un grand plat rond, recou-vrez-les d'une feuille de papier aluminium. Installez le plat sur une casserole emplie aux 2/3 d'eau bouillante. Gardez-la sur feu doux pour que l'eau ne s'évapore pas trop vite. Ajoutez de l'eau si nécessaire.

- Vous pouvez aussi tenir les crêpes au chaud devant la porte du four tiède, couvertes de papier aluminium.

 Comment démouler la crème caramel ?

Ne démoulez la crème que lorsqu'elle est bien froide. Il est même préférable de la cuire la veille ou le matin pour le soir.

- Décollez les bords de la crème avec la pointe d'un couteau, secouez légèrement le moule. En le retournant à l'envers, posez un plat de service creux sur le moule, maintenez bien le plat et le moule à deux mains des deux côtés et renversez l'ensemble d'un geste vif.

- S'il reste du caramel au fond du moule, brisez-le avec une cuillère puis parsemez-le sur la crème.

> **Bon à savoir : Pour enlever le caramel qui a durci au fond d'un récipient, ajoutez 1 ou 2 verres d'eau, faites bouillir, et le caramel fondra dans l'eau bouillante.**

 Comment empêcher la crème caramel cuite de former des petites bulles ?

Ces bulles se forment quand l'eau du bain-marie est trop chaude pendant la cuisson de la crème (la crème caramel se cuit toujours au bain-marie). Pour éviter cela, prenez soin d'étaler dans le récipient du bain-marie (plat à gratin ou lèchefrite) deux feuilles de papier journal, de poser les ramequins de crème dessus, puis de verser de l'eau tiède à mi-hauteur des ramequins.

Glissez dans le four et, à mi-cuisson des crèmes, ajoutez de l'eau froide, qui fera baisser la température de l'eau du bain-marie.

 Comment donner une jolie couleur brillante et dorée au-dessus d'un gâteau ?

- 5 min avant la fin de la cuisson, sortez-le du four et saupoudrez le dessus de sucre glace. Remettez-le au four jusqu'à ce que se forme une croûte caramélisée, de couleur blond foncé.

 Comment utiliser le sucre glace ?

- Le sucre glace se conserve mal et forme toujours de petites boules. Il faut donc le passer dans un tamis ou une petite passoire à thé. Saupoudrez-le en tapotant les bords du tamis pour obtenir une couche fine et régulière sur toute la surface du gâteau.
Comptez 1 c. à soupe bombée de sucre glace pour un gâteau de 6 à 8 personnes.

 Comment glacer un gâteau ?

- Attendez que le gâteau soit complètement refroidi, puis versez 150 g de sucre glace dans une jatte, ajoutez 2 c. à soupe d'eau, de café fort ou de jus de citron. Mélangez bien le sucre et le liquide.
- Étalez une feuille d'aluminium sur une grille à pâtisserie et posez dessus le gâteau : le glaçage ne tombera pas directement sur la table. Versez celui-ci d'un seul coup au milieu du gâteau et laissez-le se répandre et couler sur les bords. Avec une spatule ou la lame d'un couteau, égalisez-le sur le dessus et les bords.

- Laissez durcir le glaçage 2 à 3 h au frais avant de servir le gâteau glacé.

À quoi sert une grille à pâtisserie ?

- À recueillir tartes et gâteaux dès leur sortie du four. Ses trous empêchent le dessous du gâteau de ramollir et de devenir pâteux : la vapeur qui se dégage d'un gâteau chaud s'échappe à l'air libre plutôt qu'à l'intérieur du moule pendant qu'il refroidit.
Pour sortir facilement le gâteau du moule, utilisez une longue spatule en acier à lame souple.

478 Comment faire pour empêcher le dessous d'un gâteau de brûler ?

- Posez le moule sur un diffuseur de chaleur, ou dans un grand plat en terre : le fond sera protégé. Surélevez d'un cran la plaque sur laquelle il cuit, et intercalez une autre plaque en tôle dans le bas du four.

> **Bon à savoir : Pour savoir si un gâteau est cuit, tirez-le vers vous sur sa plaque sans le sortir complètement du four. Enfoncez au centre une lame de couteau, retirez-la et posez-la sur le dos de la main. Si elle est sèche et brûlante, le gâteau est cuit ; si elle est tiède et qu'un peu de pâte adhère dessus, il ne l'est pas assez.**

Comment démouler un gâteau qui semble avoir attaché ?

- Dès la sortie du four, posez le fond du moule encore chaud sur un linge trempé dans de l'eau froide : l'humidité dégagée par la différence de température décollera le fond du gâteau.

> **Bon à savoir : Pour empêcher les fruits confits, les raisins secs de tomber au fond de la pâte à gâteau en cuisant, étalez 1 c. à soupe de farine sur la table et roulez-les dedans pour qu'ils se répartissent dans la pâte sans tomber au fond du moule.**

Quelle crème fraîche utiliser pour la crème fouettée ou la crème Chantilly ?

- De la crème fleurette, légère, presque liquide. À défaut, de la crème fraîche UHT (Ultra Haute Température), conditionnée en berlingot ou en boîte de carton.
- Si vous ne disposez que de crème fraîche épaisse, délayer-la avec un peu de lait froid pour l'alléger, jusqu'à obtenir la consistance d'une crème fraîche presque liquide.
- 2 h avant de battre la crème, mettez au réfrigérateur la jatte dans laquelle vous allez la fouetter. Vous pouvez aussi la mettre dans le freezer et la retirer dès qu'une buée s'est formée. Prenez un grand récipient : la crème double de volume une fois fouettée (avec un 1/4 de l de crème fraîche, vous obtenez un 1/2 l de crème fouettée).

Comment fouetter la crème Chantilly sans qu'elle tourne en beurre ?

- Posez la jatte sur un linge de cuisine plié en deux. Tenez-la d'une main et, de l'autre, commencez à battre doucement la crème fraîche avec un fouet souple, par petits coups, sans le sortir de la masse de crème. Accélérez le mouvement dès que la crème forme de grosses bulles. Arrêtez de la fouetter quand les branches du fouet font des raies sur la surface de la crème.
- Ajoutez 50 g de sucre glace tamisé (plus fin et léger que le sucre en poudre) pour 25 cl de crème. Tournez légèrement le fouet deux ou trois fois dans la crème fouettée pour bien mélanger le sucre glace. Couvrez la jatte avec un linge et mettez la crème fouettée dans le réfrigérateur avant de la servir.
Si, malgré ces conseils, la crème Chantilly commence à former de petites particules de beurre, le mal est fait, et vous ne pouvez rien faire. Mais consolez-vous, ne sucrez pas la crème, continuez à la fouetter jusqu'à ce qu'elle se transforme en beurre : il sera très bon sur des tartines.

Comment disposer les biscuits à la cuillère dans un moule à charlotte ?

- Commencez par tapisser en forme de rosace le fond du moule avec les biscuits coupés en pointe aux ciseaux. Posez verticalement d'autres biscuits, sans les couper, tout autour des parois de moule, côté bombé contre la paroi. Serrez-les bien les uns contre les autres. Remplissez le moule presque jusqu'en haut avec la garniture de votre choix.
- Mettez la charlotte au réfrigérateur jusqu'à ce que sa garniture soit un peu plus ferme.

– Puis posez dessus une assiette à dessert d'un diamètre inférieur à celui du moule et mettez un poids dessus. Replacez-la au réfrigérateur.
Une charlotte se prépare toujours la veille pour lui laisser le temps de prendre.

483 Comment démouler une charlotte ?

– Avec la pointe d'un couteau, décollez légèrement chaque biscuit. Posez une assiette à dessert, en la retournant, sur le dessus du moule. Renversez l'ensemble et secouez le moule.
– Si la charlotte se démoule difficilement, trempez un grand linge de cuisine dans de l'eau très chaude, pliez-le en deux, appliquez-le sur le fond du moule. Recommencez cette opération si nécessaire.

484 Quel chocolat utiliser pour faire des gâteaux, une crème ou une mousse ?

– Un chocolat noir dont la teneur en cacao est assez élevée (le pourcentage est inscrit au dos de toute tablette), car c'est le cacao qui va donner tout son arôme chocolaté au dessert. L'idéal est de choisir un chocolat entre 50 et 70 % de cacao.
– Le chocolat au lait et le chocolat blanc sont peu utilisés en pâtisserie. De plus, leur teneur en cacao est souvent inférieure à 25 %.

485 Comment faire fondre du chocolat ?

– Toujours au bain-marie.
– Cassez le chocolat en petits morceaux. Mettez-les dans une petite casserole. Déposez celle-ci dans une casserole

plus grande. Versez de l'eau tiède dans cette dernière sans dépasser le 1/3 de la hauteur de la petite. Mettez ce bain-marie sur feu doux et laissez fondre doucement le chocolat sans le remuer. Au bout de 4 à 5 min, quand il est fondu, mélangez-le doucement à la cuillère en bois pour le lisser.

- Le chocolat fond très bien au micro-ondes : 1 min à pleine puissance.

> **Bon à savoir : Le chocolat qu'on fait fondre ne doit pas être cuit à une température supérieure à 32°. Pour la vérifier, trempez le doigt dans le chocolat fondu, puis goûtez-le. Il ne doit ni brûler ni paraître froid. S'il a été trop chauffé et forme une masse épaisse et pleine de grumeaux, ajouter un peu d'huile de tournesol le fera redevenir lisse.**

 Comment griller des amandes ou des noisettes effilées ?

- Sur une feuille d'aluminium posée sur la plaque du four chaud. Donnez plusieurs fois un mouvement de va-et-vient à la feuille pour éviter que les amandes se colorent trop vite.
- Dans une poêle sans matière grasse, sur feu moyen. Agitez la queue de la poêle pendant que vous faites griller amandes et noisettes car leur cuisson est rapide.

 Comment monter des blancs en neige ?

- La méthode la plus rapide et la moins fatigante est d'utiliser *un batteur électrique*.

- Cependant, la meilleure façon reste de les monter à *la main avec un grand fouet*. Le volume des blancs en neige fouettés à la main est d'1/3 plus important qu'avec un batteur électrique et, surtout, ils sont plus légers et moelleux. On ne peut pas monter plus de 6 blancs d'œufs à la fois.
- Cassez les œufs un par un sur le bord d'une terrine en prenant soin de ne faire tomber aucune parcelle de jaune, ce qui empêcherait les blancs de bien monter. Si cela arrivait, enlevez le jaune avec le bord d'une coquille d'œuf. Ajoutez 1 pincée de sel.
- Commencez par briser très doucement la masse des blancs dans tous les sens en soulevant le fouet, qui ne doit pas sortir des blancs. Peu à peu, les œufs se liquéfient puis deviennent mousseux et d'un blanc grisâtre. Accélérez alors le mouvement et battez avec beaucoup de vigueur sans jamais arrêter. Cessez de battre dès que la mousse est lisse et d'un blanc éclatant.

488 **Comment savoir quand les blancs d'œufs sont en neige ferme ?**

- Tournez le fouet sur lui-même dans la mousse, soulevez-le : la mousse doit y rester attachée et former un grand bec pointu et ferme.

489- **Comment incorporer les blancs en neige aux préparations auxquelles ils sont destinés ?**

Procédez toujours en deux temps :
- Déposez le 1/4 des blancs en neige sur la préparation (jamais le contraire car la préparation sur les blancs les écraserait). Enfoncez une cuillère en bois au milieu jusqu'au fond de la jatte. Soulevez délicatement la masse

en amenant le dessous sur le dessus, tout en enrobant au fur et à mesure les blancs avec la préparation ;
- Ajoutez les restes des blancs en neige à la préparation avec la même délicatesse. Aussitôt que les blancs sont incorporés, sans attendre, mettez le plat à cuire.

Comment procéder pour qu'un soufflé monte bien ?

- Il faut que le moule à soufflé soit bien beurré, et surtout mettre le soufflé à cuire aussitôt que les blancs en neige sont incorporés à la préparation.

> **Bon à savoir : Un soufflé n'attend pas. En revanche, vous pouvez préparer à l'avance la pâte, la recouvrir de papier beurré et, au dernier moment, monter les blancs en neige, les incorporer à la pâte et mettre à cuire le soufflé quand les invités sont là.**

Comment bien beurrer un moule à soufflé ?

- Avec un pinceau plat à pâtisserie, badigeonnez le fond du moule de beurre mou, puis les parois, de bas en haut. Mettez le moule au réfrigérateur jusqu'à ce que le beurre ait durci. Recommencez encore une fois, faites durcir à nouveau au réfrigérateur.

492 Quel est le temps de cuisson des soufflés ?

- *Les petits soufflés individuels* : 12 à 15 min.
- *Un gros soufflé* : entre 25 et 30 min.
Enfournez à four chaud, thermostat 6 ou 7, préchauffé
pendant 15 à 20 min.

493 Comment empêcher la crème anglaise de tourner ?

- Ajoutez 1 c. à café de farine dans les jaunes d'œufs
avant de les battre, pour éviter les grumeaux.

> **Bon à savoir : La crème anglaise est cuite lorsque, quand on passe le doigt sur le dos de la cuillère en bois nappée de sauce, les bords de la crème ne se rejoignent pas.**

494 Que faire si la crème anglaise a tourné ?

- Versez-la dans une bouteille en vous aidant d'un
entonnoir. Secouez énergiquement la bouteille après
l'avoir bouchée : la crème redeviendra lisse et onctueuse. Si vous disposez d'un mixeur électrique, vous
la rattraperez plus vite.
N'utilisez pas de bouteille en plastique, que la crème
chaude ramollirait et déformerait.

Comment rattraper une confiture qui a moisi sur le dessus ?

- Enlevez largement le dessus moisi avec une petite cuillère, essuyez l'intérieur du pot avec un bout de linge imbibé d'alcool à 90°. Vous pourrez manger tout de suite la confiture restante ou la conserver dans le réfrigérateur en la recouvrant d'un 1/2 cm de paraffine fondue pour protéger le dessus.

 Comment rattraper une confiture qui a cristallisé ?

- Mettez toute la confiture dans une petite casserole, ajoutez 1 jus de citron et quelques cuillerées à soupe d'eau (la quantité dépend de la variété de confiture). Laissez recuire la confiture jusqu'à ce qu'elle épaississe un peu, puis versez-la dans un pot préalablement ébouillanté et couvrez-la d'un 1/2 cm de paraffine. Conservez-la au réfrigérateur. N'attendez pas trop pour la consommer.

 Comment flamber un dessert sur la table ?

Ne versez pas directement l'alcool du goulot de la bouteille sur le dessert à flamber pour ne pas vous brûler et, surtout, pour pouvoir doser l'alcool : si vous en versiez trop, le dessert serait immangeable.
- Utilisez un plat supportant la chaleur, et creux, pour que la sauce enflammée ne se répande pas sur la table. Faites tiédir l'alcool dans une toute petite casserole puis versez-le sur le dessert. Craquez tout de suite une allumette, enflammez l'alcool et arrosez le dessert avec une cuillère à soupe en maintenant le plat penché.

498 Quel alcool choisir pour flamber un dessert ?

Par exemple :
- du calvados avec des pommes ;
- du kirsch avec des cerises ;
- du whisky ou du cognac avec des desserts au café ;
- du Grand Marnier avec des crêpes ;
- du rhum avec des bananes ;
- de l'armagnac avec des pruneaux.

499 Quelle quantité d'alcool utiliser ?

- 1 c. à café d'alcool par personne. Préparez la dose d'alcool à flamber dans un verre.

> **Bon à savoir : Le sucre en poudre est du sucre cristallisé broyé puis tamisé. Il est donc beaucoup plus fin. Il s'utilise pour toute la pâtisserie maison. Le sucre cristallisé, lui, s'utilise surtout pour les confitures et les pâtes de fruits.**

500 Comment utiliser une gousse de vanille ?

1 gousse de vanille s'utilise toujours fendue en deux dans le sens de la longueur car ce sont les grains qui contiennent le parfum de la vanille.
- Posez la gousse entière sur une planche. Fendez-la en deux et, à l'aide d'un petit couteau pointu, grattez les grains. Mettez-les dans le lait avec les 1/2 gousses évidées. Comptez 1/2 gousse de vanille par litre de lait.

N'hésitez pas à laisser infuser la vanille dans le lait plusieurs heures, voire une journée.

> **Bon à savoir :** Pour conserver les gousses de vanille coupées, mettez-les dans un bocal à fermeture hermétique rempli de sucre en poudre. Elles ne se dessècheront pas et parfumeront agréablement le sucre que vous pourrez utiliser pour toute la pâtisserie, et même pour édulcorer le thé ou les tisanes.

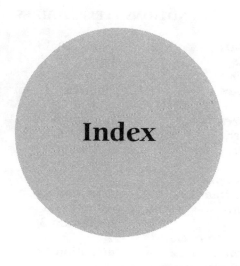

Index

Les chiffres se rapportent aux numéros des questions.

LES NOTIONS ÉLÉMENTAIRES

LA CUISSON À LA VAPEUR

LE BON USAGE DU FOUR MICRO-ONDES

LA CRÈMERIE

L'ÉPICERIE

LES FINES HERBES

LES POISSONS ET FRUITS DE MER

LES VIANDES

LE BŒUF

LES SAUCES

LES FRUITS

LA PÂTISSERIE

Imprimé en France sur Presse Offset par

BRODARD & TAUPIN

GROUPE CPI

23121 – La Flèche (Sarthe), le 01-04-2004
Dépôt légal : avril 2004